Antonio Machado
ANTOLOGÍA POÉTICA

CLÁSICOS UNIVERSALES PLANETA

Dirección:
GABRIEL OLIVER
catedrático de la Universidad de Barcelona

Antonio Machado

ANTOLOGÍA POÉTICA

**Introducción de
JOSÉ LUIS CANO**

Planeta

© Herederos de Antonio Machado, 1986
© Editorial Planeta, S. A., 1986
    Córcega, 273-277, 08008 Barcelona (España)
Diseño colección y cubierta de Hans Romberg (realización de Jordi Royo)
Ilustración cubierta: retrato de Antonio Machado, dibujo realizado por su hermano José
Primera edición en Clásicos Universales Planeta: marzo de 1986
Depósito legal: B. 6.601-1986
ISBN 84-320-3949-7
Printed in Spain - Impreso en España
T. G. Soler, S. A., Enric Morera, 15, Esplugues de Llobregat (Barcelona)

SUMARIO

CANCIONES

HUMORISMOS, FANTASÍAS, APUNTES

LOS GRANDES INVENTOS

GALERÍAS

VARIA

CAMPOS DE CASTILLA
(1907-1917)

ELOGIOS

NUEVAS CANCIONES
(1917-1930)

POESÍAS DE «SOLEDADES»
(1898-1907)

NUEVAS CANCIONES
(1917-1930)

INTRODUCCIÓN

LA POESÍA DE ANTONIO MACHADO

Antonio Machado *aparece en la escena poética española entre Juan Ramón Jiménez, cuyos dos primeros libros se publican en 1900, y Unamuno, que no entrega su primera obra de poemas hasta 1907. En efecto,* Soledades, *el primer libro de Machado, ve la luz en 1903, y es ya la revelación de un hondo poeta. Cuando cuatro años después publica una nueva obra,* Soledades. Galerías. Otros poemas *—en realidad una segunda edición muy aumentada de la anterior— la poesía de Machado consigue ya la admiración de los críticos y de los lectores. El Machado de* Soledades *es un poeta con influencias simbolistas y modernistas, aunque ya con un acento personal, de un intimismo trémulo y espiritualmente complejo. En la época de ese primer libro suyo pensaba Machado que la poesía «no era la palabra por su valor fónico, ni el color, ni la línea, ni un complejo de sensaciones —alude aquí claramente Machado al modernismo— sino una honda palpitación del espíritu: lo que pone el alma, si es que algo pone, o lo que dice, si es que algo dice, con su voz propia, en respuesta animada al contacto del mundo». Pero ese intimismo, esa poesía vertida hacia adentro, tejida en gran parte de sueños y recuerdos —galerías del alma, fanales misteriosamente iluminados por el amor y la esperanza—, irán poco a poco cediendo en Machado a otra poesía menos subjetiva, más objetiva y realista, que irá a encontrar su cauce en su libro más famoso,* Campos de Castilla *(1912), aunque no sea hoy el que los jóvenes admiran más.*

Los críticos se han preguntado con frecuencia si Antonio Machado fue un poeta modernista, o al menos si se dejó influir por el modernismo, el gran movimiento poético que Rubén Darío, con su inmenso prestigio, logró instaurar en España a partir de 1898, fecha de su segundo viaje. Que Antonio Machado admiraba profundamente a Rubén es algo que nadie puede negar. En el prólogo a la edición de 1917 de Soledades, *escribió Machado estas palabras: «Las composiciones de este primer libro, publicado en enero de 1903, fueron escritas entre 1899 y 1902. Por aquellos años, Rubén Darío, combatido hasta el escarnio por la crítica al uso, era el ídolo de una selecta minoría. Yo también admiraba al autor de* Prosas profanas, *al maestro incomparable de la forma y de la sensación, que más tarde nos reveló la hondura de su alma en* Cantos de vida y esperanza. *Pero yo pretendí —y reparad que no me jacto de éxitos sino de propósitos— seguir camino bien distinto.» Y claramente añade que ese camino sería el del intimismo, inseparable del simbolismo. Pero no fue ésa la única vez que expresó su disentimiento del modernismo. De 1910 data su famoso «Retrato» —más bien autorretrato— que abre su libro* Campos de Castilla, *y al que pertenecen los siguientes versos:*

> Adoro la hermosura, y en la moderna estética
> corté las viejas rosas del huerto de Ronsard;
> mas no amo los afeites de la actual cosmética
> ni soy un ave de esas del nuevo gay-trinar.

> Desdeño las romanzas de los tenores huecos
> y el coro de los grillos que cantan a la luna.
> A distinguir me paro las voces de los ecos
> y escucho solamente, entre las voces, una.

Cuando esto escribe Antonio Machado la estética que triunfaba en España era la modernista, y a ella parecen referirse estos versos, o al menos a sus exageraciones y rasgos más extremosos: palabrería colorista y elegancias versallescas, heredadas de Verlaine. Y es que Machado era un poeta demasiado hondo y austero para aceptar plenamente la retórica modernista. Lo cual no impide, sin embargo, que su poesía ofrezca, sobre todo en sus primeros años, los de Soledades, *evidentes contagios modernistas. Así lo afirma rotundamente Juan Ramón Jiménez cuando en un artículo publicado en Méjico,[1] es-*

---

1. *Cuadernos Americanos*, julio-agosto, 1944.

cribe estas palabras: «Yo, que traté a Antonio Machado
en esa época, sé la fuerte influencia que ciertos poemas
del españolista mayor Rubén Darío, como los Retratos,
Cosas del Cid, Cyrano en España, etc., determinaron en
él. Los Altos del Hipódromo de Madrid recordarán bien
la declamación entusiasta de un Antonio Machado teatral de esos poemas y otros, "Año nuevo" sobre todo,
del nicaragüense, paseando juntos nosotros dos en los
anocheceres de verano. Temas, metros, acento de Rubén Darío son evidentes.» Juan Ramón llega incluso a
decir —lo que nos parece exagerado— que «Antonio Machado es seguramente, de su generación, el poeta que
ha tenido un eco más prolongado de Rubén Darío a través de toda su obra». Una cosa sí es cierta. Cuando Machado prepara la segunda edición de Soledades —Soledades. Galerías. Otros poemas— en 1907, eliminó de la
primera nada menos que trece poemas, precisamente
aquellos cuyos rasgos modernistas eran más evidentes.
Tenía, pues, Machado plena consciencia de aquellos contagios modernistas, explicables ante el deslumbramiento
de la poesía rubeniana. Pero supo sacudírselos pronto
para escoger el camino que él sentía como suyo: lo que
él mismo llamó intimismo, que no era otra cosa que simbolismo interior. El poeta mira hacia su mundo más
íntimo, hacia «las galerías del alma», habitadas por sueños y quimeras, recuerdos y esperanzas, nostalgias y
soledades: un mundo misterioso y sutil, que no puede
expresarse con representaciones directas sino a través
de símbolos, de sugerencias, de alusiones. Esas soledades
de su primer libro son sin duda soledades de amor,
ausencias de amor. No se entenderá bien la poesía de
Machado en su primera época si no se ve en ella el
fruto melancólico y triste de un corazón solitario, ne-
cesitado de compañía amorosa. Más tarde nos diría en
una copla: «Un corazón solitario / no es un corazón.»
Y así cuando en 1909 Leonor le da la compañía amorosa
anhelada, su poesía cambia, como veremos: ya no necesi-
tará de símbolos, porque las quimeras y los sueños, las
esperanzas y soledades han abandonado el alma del poeta, ya colmada de amor.

Una pregunta, sin embargo, surge al contemplar el
simbolismo de Machado. ¿Era ese simbolismo imitación

o contagio del simbolismo francés, o creación personal
del poeta? El problema de la influencia del simbolismo
francés en la poesía de Machado ha sido muy discutido
por la crítica.[2] Juan Ramón Jiménez, tan unido a Machado en los primeros años del siglo, declaró en varias
ocasiones que él y Antonio se sabían de memoria la an-
tología de Verlaine Choix de poèmes. Hay, en efecto, algunos ecos verlenianos en Soledades, pero son escasos
y puramente epidérmicos: algunos temas —el parque
vacío, la fuente...—, algunas melodías, las «flautas de
Verlaine» que el propio Machado decía haber oído en
el verso de Juan Ramón. Y es que el autor de Soledades
no necesitó, como tampoco Juan Ramón, seguir a los
simbolistas franceses, aunque los admirasen, para escoger su propio fluir simbolista. La tradición simbolista
española, que arranca del Cancionero popular anónimo
y alcanza en el siglo XIX su expresión más lograda con
Gustavo Adolfo Bécquer, permitió a Machado contrarres-
tar la influencia modernista y buscar la vía simbolista
con acento personal. El becquerianismo de Machado ha
sido señalado con frecuencia por los críticos. Los sueños
y las quimeras del autor de Soledades, sus misteriosas
sombras aladas, sus vagorosas imágenes femeninas, tienen su antecedente en las rimas de Bécquer. Y al igual
que éste, la poesía de Machado se apoya en gran parte
en ese misterioso trasmundo del sueño, que tiñe de es-
tremecido temblor y de mágico palpitar muchos versos
de ambos poetas. Y para Machado, como para Bécquer,
el mundo del sueño y el de la realidad son intercambia-
bles y las más de las veces se confunden. El sueño tiene
para ellos tanta realidad como la realidad misma. Y al
contrario, las cosas reales parecen soñadas, como el recuerdo de un sueño. ¿Qué es vivir?, se pregunta Machado en el prólogo a Campos de Castilla. Y se contesta:
«Soñar nuestro sueño.» El soñar de Machado es como
un modo de ser, como la forma de su esencial melancolía.

En Soledades, sobre todo en la sección titulada «Del
camino», que con razón destacó Juan Ramón Jiménez

---

2. Véase sobre este tema el libro de J. M. Aguirre *Antonio Machado, poeta simbolista*, Taurus, Madrid, 1973.

como lo mejor del libro, está ya conseguida la expresión desnuda de esa «honda palpitación del espíritu» que para Machado era la poesía; y están los temas y símbolos preferidos del poeta: el sueño, la tarde, el camino, la fuente, el recuerdo, la soledad, el misterio. Desde el comienzo fue su poesía un intento de penetrar en el misterio de la existencia, dialogando consigo mismo —con sus galerías del alma— y con la naturaleza, escuchando sus voces misteriosas. Como el mismo Machado escribió en un poema:

> El alma del poeta
> se orienta hacia el misterio.
> Sólo el poeta puede
> mirar lo que está lejos
> dentro del alma, en turbio
> y mago sol envuelto.

Si el intimismo simbolista domina en Soledades *y en* Soledades. Galerías. Otros poemas, *con su poesía vertida hacia dentro, Machado irá adquiriendo poco a poco una nueva conciencia de lo que debe ser la tarea del poeta y el objetivo de la poesía. ¿Qué motivó esta evolución esencial de la lírica machadiana desde una poesía intimista a una más abierta hacia fuera? En primer lugar, su estancia en Soria, el contacto con el campo y el paisaje castellanos, influyen profundamente en el poeta. Nos lo confiesa el propio Machado en su prólogo a* Campos de Castilla *(edición de 1917): «Cinco años en la tierra de Soria, hoy para mí sagrada —allí me casé; allí perdí a mi esposa a quien adoraba—, orientaron mis ojos y mi corazón hacia lo esencial castellano.» En efecto, el poeta, en contacto diario con la tierra y el paisaje de Castilla, empapa su alma de ellos, hasta identificarse con su materia y su espíritu, y necesita cantarlos en sus poemas. Su mirada se va desplazando de su mundo interior a la realidad de afuera que sus ojos contemplan. De aquí que su poesía, a partir de* Campos de Castilla, *tienda a ser más descriptiva y realista que lírica, deteniéndose a describir el campo castellano con minuciosidad y precisión, quizá por influencia de Azorín cuyo libro* Castilla *tanto admiraba. El poeta no dejó de refe-*

rirse a esa evolución de su lírica. En el prólogo antes citado alude a esa poesía objetiva, incluso épica: «Pensé que la misión del poeta es inventar nuevos poemas de lo eterno humano, historias animadas que, siendo suyas, viviesen, no obstante, por sí mismas. Me pareció el romance la suprema expresión de la poesía y quise escribir un nuevo Romancero.» A este propósito responde «La tierra de Alvargonzález». Pero la experiencia no debió de satisfacerle mucho, puesto que no volvió a intentarla nunca.

La mayor parte de los poemas de Campos de Castilla se escribieron en Soria de 1906 a 1912. Pero a partir de este último año, en que muere Leonor y Machado se incorpora a su nuevo destino como catedrático de francés en el instituto de Baeza, no pocos poemas están fechados en esa ciudad andaluza y en otros pueblos de Córdoba y Jaén. La línea divisoria entre poemas castellanos y andaluces la marca el poema «Recuerdos», escrito en el tren, camino de Baeza. Es un entrañable adiós a su amada tierra soriana:

> ¡Adiós, tierra de Soria; adiós al alto llano
> cercado de colinas y crestas militares...
> . . . .
> En la desesperanza y en la melancolía
> de tu recuerdo, Soria, mi corazón se abreva.
> Tierra de alma, toda, hacia la tierra mía,
> por los floridos valles, mi corazón te lleva.

En los primeros tiempos de su estancia en Baeza, el recuerdo de Soria y sus campos, ligado siempre al de Leonor, llena aún el corazón de Machado, inspirándole una serie de poemas conmovedores. Mientras Leonor vivió, no supo o no quiso cantarla, quizá porque era demasiado feliz con ella, o porque, como él mismo dijo en un verso: «Se canta lo que se pierde.» Sólo cuando Leonor muere, su imagen entra por primera vez en su verso porque desde su soledad y su dolor necesita evocar su recuerdo, que brota en el alma del poeta inseparablemente unido al recuerdo de Soria y sus campos, y al de la primavera soriana que acaba convirtiéndose en un símbolo: el de la resurrección mágica de Leonor. Pero, *curiosamente, en pocos de esos poemas nombra a Leonor. Su muerte es evocada por el poeta en un breve romance, «Una noche de verano», de un patetismo punzante por la misma sencillez del poema:*

> Una noche de verano
> —estaba abierto el balcón
> y la puerta de mi casa—
> la muerte en mi casa entró.
> Se fue acercando a su lecho
> —ni siquiera me miró—,
> con unos dedos muy finos
> algo muy tenue rompió.
> Silenciosa y sin mirarme,
> la muerte otra vez pasó
> delante de mí. ¿Qué has hecho?
> La muerte no respondió.
> Mi niña quedó tranquila.
> Dolido mi corazón.
> ¡Ay, lo que la muerte ha roto
> era un hilo entre los dos!

Poco a poco el recuerdo de Leonor se hará más tenue, y otras preocupaciones —el destino de España, la inquietud filosófica, el paso del tiempo— irán invadiendo su poesía. Por boca de Juan de Mairena —su otro yo literario— confesaba Machado que él quiso ser siempre poeta del tiempo. Más de una vez definió la poesía como «la palabra esencial en el tiempo», y también como el diálogo del hombre con su tiempo. Esta condición de temporalidad de la lírica era esencial para Machado, quien pensaba que sin la angustia del tiempo, sin sentir grávidamente su paso y su temblor, acaso el poeta no sintiera la necesidad de expresarse. Porque el fluir del tiempo en una vida, con su secuela íntima de esperanzas, recuerdos, inquietudes y temores —luces y sombras— es la raíz de toda poesía. Una intensa y profunda sensación del tiempo nos la da, según Machado, Jorge Manrique en su famosa elegía a la muerte de su padre.

La inquietud filosófica le lleva a escribir en Baeza una serie de breves poemas que luego reunió bajo el título de Proverbios y cantares, *en los que junto a la copla*

popular y sentenciosa encontramos el poemilla filosófico
de concisa expresión, cruzado a veces por una veta iró-
nica y burlona, muy lejos ya de la poesía lírica e intimista de su primera época. Este cambio fue consecuencia de la honda crisis espiritual sufrida por Machado en
Baeza, que le llevó a querer expresar en verso sus me-
ditaciones y preocupaciones filosóficas. Una nueva veta
parece dominar en esos Proverbios y cantares, que incluyó en su nuevo libro Nuevas canciones (1924): la de
un poeta escéptico, amargo, desilusionado y hasta sofis-
ta, que contrasta fuertemente con el esperanzado y melancólico de Soledades o con el cantor entusiasta de Castilla. Pero abundan más los poemas graves y añorantes
de su ahora lejana Soria, como el espléndido «A José María Palacio».

La evolución, que señalábamos más arriba, hacia una
poesía menos subjetiva e íntima, más abierta a un rea-
lismo temporalista, se mostró también, a partir de 1913,
en la inclinación a cantar los temas de la patria, del
destino de España, común a toda la generación del 98,
sobre todo Unamuno y Azorín. Aludiendo a la temática
de Campos de Castilla, nos dice Machado en el prólogo
a la edición de 1917: «A una preocupación patriótica responden muchas de sus composiciones; otras, al simple
amor a la Naturaleza, que en mí supera infinitamente
al del arte.» Al igual que Unamuno, vio pronto Machado en las tierras de España la «sombra errante de Caín»,
presagiando lo que iba a ocurrir en ellas en 1936. Y en
otros poemas —sobre todo en «El mañana efímero»— el
poeta nos da una imagen de la España inferior y reac-
cionaria, de espaldas al futuro. Una España que Machado desdeña. Aunque junto a esa España inferior, el poeta
supo también cantar una España soñada, la España futura de la libertad y la justicia:

> Mas otra España nace,
> la España del cincel y de la maza,
> con esa eterna juventud que se hace
> del pasado macizo de la raza.

El drama de España, la lucha entre la España que
muere y la que nace, está presente en algunos de los

poemas que Machado incluyó en la serie de sus «Elogios», última parte de Campos de Castilla, *sobre todo en el poema-homenaje al libro* Castilla *de Azorín. Hay en este poema, junto a una hermosa evocación nostálgica de Castilla y sus campos, una afirmación de fe en el futuro de España:*

> ¡Oh tú, Azorín, escucha: España quiere
> surgir, brotar, toda una España empieza!
> ¿Y ha de helarse en la España que se muere?
> ¿Ha de ahogarse en la España que bosteza?
> Para salvar la nueva epifanía
> hay que acudir, ya es hora,
> con el hacha y el fuego al nuevo día.
> Oye cantar los gallos de la aurora.

A partir de su estancia en Segovia (1919-1931), escribe Machado poca poesía, pero de gran calidad, como las Canciones a Guiomar, *aparecidas por primera vez en la* Revista de Occidente, *en 1929. Su labor creadora se consagra más intensamente a la prosa —el espléndido* Juan de Mairena— *y al teatro, en colaboración con su hermano Manuel. Esta relativa sequedad lírica continúa en los años republicanos, ya instalado el poeta en Madrid, y sólo el desgarrón trágico de la guerra civil vino a encender de nuevo la veta lírica y aun épica de Antonio Machado. En noviembre de 1936 escribió su famoso poema «El crimen fue en Granada», a la muerte de Federico García Lorca, y durante su estancia en el pueblecito de Rocafort, cercano a Valencia, publicó una serie de hermosos sonetos y algunas bellas canciones. Entre los primeros destaca el que dirigió a Guiomar (Pilar de Valderrama, el gran amor tardío del poeta), en junio de 1938, que nunca llegó a su destino, pues la guerra lo impidió, ya que Guiomar se hallaba con su familia en Portugal. Es el único soneto de la serie en que el tema no es la guerra o sus vicisitudes sino el amor, o mejor dicho la muerte del amor como consecuencia de la guerra.*

El 22 de febrero moría Machado en el pueblecito marinero de Collioure. Pocos días después de la muerte, su hermano José encontraba en un bolsillo del viejo gabán del poeta un trozo de papel en el que Machado había escrito su último verso:

Estos días azules y aquel sol de la infancia.

JOSÉ LUIS CANO

CRONOLOGÍA

1875 *26 de julio: Antonio Machado nace en Sevilla, en el Palacio de las Dueñas.*

1880 *Con su hermano Manuel, un año mayor que él, asiste a una escuela de párvulos que dirigía don Antonio Sánchez, de la que no guardó buen recuerdo, según se deduce de su poema «Recuerdo infantil», incluido en su libro* Soledades.

1883 *Su familia se traslada a Madrid, donde su abuelo, don Antonio Machado Núñez, que había sido alcalde de Sevilla y hombre relacionado con la Institución Libre de Enseñanza, obtuvo una cátedra en la Universidad Central. Los dos hermanos, Antonio y Manuel, ingresan como alumnos en la Institución Libre. La familia se instala en un piso de la calle Claudio Coello.*

1889 *Antonio comienza sus estudios de bachillerato en el Instituto de San Isidro, donde, en el examen de ingreso, le suspenden en algunas asignaturas.*

1890 *Traslada su matrícula al Instituto Cardenal Cisneros, siguiendo sus estudios de bachillerato por libre.*

1893 *4 de febrero: muere su padre, Antonio Machado Álvarez, en Sevilla, al regreso de una estancia en Puerto Rico, donde fue registrador de la propiedad. Primeras colaboraciones de Antonio, con artículos humorísticos y costumbristas, firmando con el seudónimo de «Caballera», en el periódico* La Caricatura, *dirigido por Enrique Paradas. Primeras amistades literarias: Antonio de Zayas, Ricar-*

do y Rafael Calvo, hijos del actor Ricardo Calvo.

1894 Nace en Almenar de Soria Leonor Izquierdo Cuevas, futura esposa del poeta.

1895 Muere su abuelo, Antonio Machado Núñez. Emigra a Guatemala el hermano más joven, Joaquín Machado Ruiz. Empobrecimiento de la familia, al desaparecer el padre y el abuelo. Los Machado se trasladan a un piso más modesto en el número 148 de la calle Fuencarral. Antonio conoce a Valle Inclán y asiste a la tertulia del político y académico don Eduardo Benot, a la que asistía también el anarquista Fermín Salvochea.

1896 Trabaja como colaborador en el Diccionario de ideas afines que dirige don Eduardo Benot.

1898 Va a Sevilla para ver a su hermano Manuel, y visita la casa donde nació, el Palacio de las Dueñas. El reencuentro con su casa de la infancia le inspira el poema VII de Soledades. Estando en Sevilla le sorprende la noticia de la guerra con los Estados Unidos.

1899 Se traslada a París para reunirse con su hermano Manuel y trabajar con él en la editorial Garnier como traductor para ediciones en castellano. Se alojan los dos hermanos en el hotel Médicis, situado en la calle Monsieur Le Prince. Hace amistad con Gómez Carrillo y con Pío Baroja. Conoce a Oscar Wilde y a Jean Moréas. Octubre: regresa Antonio a Madrid, donde toma contacto con el grupo de escritores modernistas, como Villaespesa, Candamo y otros.

1900 Trabaja como figurante en la compañía de Fernando Díaz de Mendoza. En setiembre obtiene el grado de bachiller en el Instituto Cardenal Cisneros. Publicación de los dos primeros libros de Juan Ramón Jiménez, Ninfeas y Almas de violeta.

1901 Enero: estreno del drama de Galdós Electra. Marzo: publica por primera vez poemas suyos en el número 3 de la revista Electra. Su hermano Manuel publica su libro Alma.

1902 Marzo: colabora en la revista Ibérica. En abril nuevo viaje a París, donde Gómez Carrillo le ofrece un puesto en el consulado de Guatemala. Primer encuentro con *Rubén Darío*, a quien lee poemas de su libro inédito *Soledades. Agosto: regreso a Madrid y amistad con Juan Ramón Jiménez, a quien visita en el sanatorio del Rosario, donde Juan Ramón se curaba de su neurosis. Setiembre: colaboración con su hermano Manuel y Francisco Villaespesa en la adaptación en verso castellano del drama de Victor Hugo* Hernani.

1903 *Enero: en Granada con Valle Inclán para asistir al estreno de la adaptación hecha por éste del drama de Alfred de Musset* Andrea del Sarto. *Durante su ausencia aparece en Madrid su primer libro,* Soledades. *Abril: primer número de la revista modernista* Helios, *dirigida por Juan Ramón Jiménez.*

1904 *Colaboraciones con poemas en las revistas* Helios, Alma Española *y* Blanco y Negro.

1905 *Publica poemas en las revistas* Renacimiento Latino *y* La República de las Letras. *Firma el manifiesto de protesta con motivo de la concesión del Premio Nobel a Echegaray.*

1906 *Prepara oposiciones a cátedras de francés de Instituto.*

1907 *Marzo: obtiene una de las cátedras convocadas, y elige la del Instituto de Soria, para la que es nombrado por Real Orden del 16 de abril. 1 de mayo: breve viaje a Soria para tomar posesión de su cátedra. A los pocos días regresa a Madrid. Setiembre: se incorpora a su cátedra de Soria. Diciembre: conoce a Leonor Izquierdo, hija de la dueña de la pensión donde vive. A fines de año, publicación de su libro* Soledades. Galerías. Otros poemas, *editado por Pueyo.*

1908 *Es nombrado vicedirector del Instituto de Soria. Colaboraciones en* La Lectura *y en el periódico soriano* Tierra Soriana.

1909 *30 de julio: contrae matrimonio con Leonor Izquierdo Cuevas en la iglesia de Nuestra Señora la Mayor de Soria. Agosto: Antonio y Leonor pasan la luna de miel en Fuenterrabía. Octubre: regresan a Madrid.*

1910 *Setiembre: excursión a las fuentes del Duero. Diciembre: obtiene una pensión de la Junta para am-*

pliación de Estudios para seguir cursos de filología francesa en París.

1911 *13 de enero: salen para París Antonio y Leonor, hospedándose en un hotel de la rue Perronet. Antonio asiste a los cursos de Bédier, y al de Henri Bergson en el College de France. 14 de junio: Leonor enferma de tuberculosis. 9 de setiembre: Leonor y Antonio regresan a Soria. Diciembre: se agrava la enfermedad de Leonor.*

1912 *Junio: publicación de* Campos de Castilla. *1 de agosto: muere Leonor en Soria. 8 de agosto: Antonio abandona Soria y se instala en Madrid para gestionar su traslado a otro instituto. 15 de octubre: es nombrado para la cátedra de francés del Instituto de Baeza, y toma posesión de su cátedra el 1 de noviembre.*

1913 *Lecturas filosóficas. Se inicia su correspondencia con Unamuno. Comienza a estudiar griego. Asiste a la tertulia de la rebotica de Almazán, donde hace algunas amistades.*

1915 *Febrero: muerte de don Francisco Giner. Machado dedica un poema a su memoria, e inicia sus estudios de Filosofía y Letras examinándose en Madrid por libre. Excursión a las fuentes del Guadalquivir en la sierra de Cazorla. 18 de noviembre: nombrado vicedirector del Instituto de Baeza.*

1916 *17 de febrero: escribe el poema «A la muerte de Rubén Darío». 8 de junio: encuentro con Federico García Lorca, estudiante de la Universidad de Granada, que llega a Baeza en viaje de estudios.*

1917 *Abril: publica* Páginas escogidas *en la editorial Calleja. 11 de julio: publicación de sus primeras* Poesías completas *en las ediciones de la Residencia de Estudiantes que dirige Juan Ramón Jiménez. Excursión a los pueblos de la Baja Andalucía: Sanlúcar, Rota, Chipiona.*

1918 *10 de diciembre: obtiene el título de licenciado en Filosofía y Letras por la Universidad de Madrid.*

1919 *Segunda edición de* Soledades. Galerías. Otros poemas. *30 de octubre: traslado, a petición propia, a la cátedra de francés del Instituto de Segovia. Diciembre: colabora en los trabajos de la Universi-*

dad popular, dando clases gratuitas a los obreros.

1920   Funda con otros intelectuales la sección segoviana
        de la Liga de los Derechos del Hombre.

1922   Febrero: Unamuno llega a Segovia para dar una
        conferencia en la Universidad Popular. Machado
        le acompaña durante su estancia en la ciudad,
        afianzándose la amistad entre ambos. Da una con-
        ferencia sobre literatura rusa en la Casa de los
        Picos de Segovia.

1923   Primeras colaboraciones en la Revista de Occiden-
        te. Un grupo de jóvenes poetas —Pedro Salinas,
        Fernández Ardavín, Mauricio Bacarisse y Juan
        Chabás, entre otros— acude a Segovia desde Ma-
        drid para dedicar un homenaje a Machado.

1924   Estreno en Madrid de una adaptación de El con-
        denado por desconfiado de Tirso de Molina, hecha
        por Antonio y su hermano Manuel. Abril: publica-
        ción de Nuevas Canciones por la editorial Mundo
        Latino.

1925   Enero: estreno de su adaptación de Hernani de
        Victor Hugo, en colaboración con su hermano Ma-
        nuel y Villaespesa. Junio: fecha el primero de sus
        cuadernos Los Complementarios. Elegido miembro
        de la Hispanic Society of America.

1926   Febrero: estreno de Las desdichas de la fortuna
        en el teatro de la Princesa, en colaboración con
        Manuel. Se adhiere a la Alianza Republicana.

1927   17 de marzo: estreno de Juan de Mañara, de An-
        tonio y Manuel, en el teatro Reina Victoria. 24 de
        marzo: es elegido miembro de la Real Academia
        Española, cuyo discurso de ingreso nunca llegó a
        terminar.

1928   Junio: conoce en Segovia a la poetisa Pilar de Val-
        derrama, a la que llamará Guiomar en sus car-
        tas y en sus poemas. 23 de octubre: estreno de
        Las adelfas, en colaboración con su hermano Ma-
        nuel. Primeras cartas de amor a Guiomar.

1929   Publicación de las «Canciones a Guiomar» en la
        Revista de Occidente. Noviembre: estreno, en el
        teatro Fontalba, de La Lola se va a los puertos,
        en colaboración con Manuel.

1931   14 de abril: proclamación de la República. Machado es uno de los que izan la bandera republicana en el ayuntamiento de Segovia. *24 de abril: estreno de* La prima Fernanda, *en colaboración con Manuel. Setiembre: trasladado al Instituto Calderón de la Barca en Madrid.*

1932 *26 de marzo: estreno de* La duquesa de Benamejí *en el teatro Español, en colaboración con Manuel. 2 de octubre: el ayuntamiento de Soria le nombra hijo adoptivo de la ciudad.*

1934 *Publicación, en el* Diario de Madrid, *de las primeras prosas de* Juan de Mairena.

1936 *5 de enero: muere Valle Inclán. Mayo: primera edición de* Juan de Mairena. *18 de julio: comienza la guerra civil. Machado se adhiere a la causa de la República. Noviembre: con otros intelectuales es trasladado a Valencia. Vive con su familia en «Villa Amparo», en el pueblecito de Rocafort, cercano a Valencia.*

1937 *Colabora en* Hora de España *y otras revistas republicanas, y es nombrado presidente del patronato de la Casa de la Cultura. 1 de mayo: lee en Valencia su discurso a las Juventudes socialistas unificadas. Publica un libro misceláneo,* La guerra, *ilustrado por su hermano José. Julio: lee su discurso «Sobre la defensa y la difusión de la cultura» en el II Congreso Internacional de Escritores en defensa de la cultura, celebrado en Valencia.*

1938 *Abril: se traslada con su familia a Barcelona, instalándose primero en el hotel Majestic y posteriormente en la Torre Castañer, en el paseo de San Gervasio. Inicia su colaboración en* La Vanguardia. *Diciembre: recibe la visita de Ilya Ehrenburg.*

1939 *22 de enero: sale Machado con su familia en dirección a la frontera, que cruzan el día 27. El 28 llegan al pueblecito francés de Collioure, alojándose en el hotel Bougnol-Quintana. Febrero: cae enfermo el poeta, agravándose el día 18. 22 de febrero: muere Antonio Machado, siendo enterrado al día siguiente en el cementerio de Collioure. 25 de febrero: muere su madre, doña Ana, que es enterrada al lado del poeta.*

BIBLIOGRAFÍA

Aguirre, J. M., *A. Machado, poeta simbolista*, Taurus, Madrid, 1973.

Albornoz, Aurora de, *La prehistoria de A. Machado*, Universidad de Puerto Rico, 1961.

— *La presencia de Unamuno en A. Machado*, Gredos, Madrid, 1968.

Alonso, Dámaso, *Poetas españoles contemporáneos*, Gredos, Madrid, 1953.

— *Cuatro poetas españoles (Garcilaso, Góngora, Maragall, A. Machado)*, Gredos, Madrid, 1963.

Alonso, Monique, *Antonio Machado, poeta en el exilio*, Anthropos, Barcelona, 1985.

Álvarez Molina, Rodrigo, *Variaciones sobre A. Machado*, Ínsula, Madrid, 1973.

Ángeles, José, *Estudios sobre A. Machado*, Ariel, Barcelona, 1977.

Aranda, A., y otros, *La experiencia del tiempo en la poesía de A. Machado*, Publicaciones de la Universidad de Sevilla, 1975.

Baamonde, Miguel Ángel, *La vocación teatral de A. Machado*, Gredos, Madrid, 1976.

Barjau, Eustaquio, *A. Machado: teoría y práctica del apócrifo*, Ariel, Barcelona, 1975.

Campoamor González, Antonio, *Antonio Machado. 1875-1939*, Sedmay, 1976.

Cano, José Luis, *Poesía española del siglo XX*, Guadarrama, Madrid, 1960.

— *Antonio Machado. Biografía ilustrada*, Destino, Barcelona, 1975.

Cerezo Galán, P., *Palabra en el tiempo*, Gredos, Madrid, 1975.

Cobos, Pablo A. de, *Humor y pensamiento de A. Machado*, Ínsula, Madrid, 1963.

— *Sobre la muerte en A. Machado*, Ínsula, Madrid, 1972.

Chaves, Julio César, *Itinerario de A. Machado*, Cultura Hispánica, Madrid, 1968.

DARMANGEAT, Pierre, *Antonio Machado, Pedro Salinas, Jorge Guillén*, Ínsula, Madrid, 1969.

DOMÍNGUEZ REY, Antonio, *Antonio Machado*, Edaf, Madrid, 1979.

FERNÁNDEZ ALONSO, María del Rosario, *Una visión de la muerte en la lírica española*, Gredos, Madrid, 1971.

GIL NOVALES, Alberto, *Antonio Machado*, Fontanella, Barcelona, 1966.

GIL NOVALES, A., SOREL, A., GONZÁLEZ RUIZ, J. M., ALBORNOZ, A. de, y CANO, J. L., *Homenaje a Antonio Machado*, Sígueme, Salamanca, 1977.

GÓMEZ MOLLEDA, María Dolores, *Guerra de ideas y lucha social en Machado*, Narcea, Madrid, 1977.

GULLÓN, Ricardo, *Las secretas galerías de A. Machado*, Taurus, Madrid, 1958.

— *Cartas de A. Machado a J. R. Jiménez*, Universidad de Puerto Rico, 1959.

— *Una poética para A. Machado*, Gredos, Madrid, 1970.

GUTIÉRREZ GIRARDOT, Rafael, *Poesía y prosa de A. Machado*, Guadarrama, Madrid, 1969.

JIMÉNEZ, José Olivio, *La presencia de A. Machado en la poesía española de posguerra*, Society of spanish studies, Nebraska, 1983.

LAÍN ENTRALGO, Pedro, *La Generación del 98*, Espasa Calpe, Madrid, 1956.

LÓPEZ ESTRADA, Francisco, *Los «Primitivos», de Manuel y Antonio Machado*, Planeta, Barcelona, 1977.

LÓPEZ MORILLAS, Juan, *Intelectuales y espirituales*, Revista de Occidente, Madrid, 1961.

LUIS, Leopoldo de, *A. Machado. Ejemplo y lección*, Sociedad General Española de Librería, Madrid, 1975.

MACHADO, José, *Últimas soledades de A. Machado*, Diputación de Soria, 1971.

MANRIQUE DE LARA, José Gerardo, *Antonio Machado*, Epesa, Madrid, 1968.

OROZCO, Emilio, *A. Machado en el camino*, Universidad de Granada, 1962.

PALOMO, María Pilar, *A. Machado. Poesía*, Narcea, Madrid, 1974.

PÉREZ FERRERO, Miguel, *Vida de A. Machado y Manuel*, Col. Austral, Madrid, 1973.

PÉREZ ZALABARDO, María Concepción, *A. Machado, poeta de Soria*, Diputación de Soria, 1960.

PHILLIPS, Allen W., *Antonio Machado*, Col. El escritor y la crítica, Taurus, Madrid, 1973.

PRADAL, Gabriel, *A. Machado. Vida y obra*, Revista Hispánica Moderna, Nueva York, 1949.

PREDMORE, Michael, *Una España joven en la poesía de A. Machado*, Ínsula, Madrid, 1981.

RIBBANS, Geoffrey, *Niebla y soledad. Aspectos de Unamuno y Machado*, Gredos, 1971.

RODRÍGUEZ AGUILERA, Cesáreo, *A. Machado en Baeza*, A. P. Editor, Barcelona, 1967.

RODRÍGUEZ FORTALEZA, Adela, *La naturaleza y A. Machado*, Cordillera, San Juan de Puerto Rico, 1965.

ROSALES, Luis, *Lírica española*, Editora Nacional, Madrid, 1972.

RUIZ DE CONDE, Justina, *A. Machado y Guiomar*, Ínsula, Madrid, 1964.

SÁNCHEZ BARBUDO, Antonio, *Estudios sobre Unamuno y Machado*, Guadarrama, Madrid, 1959.

— *Los poemas de A. Machado*, Lumen, Barcelona, 1967.

SERRANO PONCELA, Segundo, *A. Machado. Su mundo y su obra*, Losada, Buenos Aires, 1954.

SESÉ, Bernard, *A. Machado: el hombre, el pensador, el poeta*, Gredos, Madrid, 1979.

TUÑÓN DE LARA, Manuel, *A. Machado, poeta del pueblo*, Nova Terra, Barcelona, 1967.

VALVERDE, José María, *Antonio Machado*, Siglo XXI, Madrid, 1975.

YNDURAIN, Domingo, *Ideas recurrentes en A. Machado*, Turner, Madrid, 1975.

ZUBIRÍA, Ramón de, *La poesía de Antonio Machado*, Gredos, Madrid, 1955.

J. L. C.

ANTOLOGÍA POÉTICA

SOLEDADES (1899-1907)

I

EL VIAJERO

Está en la sala familiar, sombría,
y entre nosotros, el querido hermano
que en el sueño infantil de un claro día
vimos partir hacia un país lejano.

Hoy tiene ya las sienes plateadas,
un gris mechón sobre la angosta frente;
y la fría inquietud de sus miradas
revela un alma casi toda ausente.

Deshójanse las copas otoñales
del parque mustio y viejo.
La tarde, tras los húmedos cristales,
se pinta, y en el fondo del espejo.

El rostro del hermano se ilumina
suavemente. ¿Floridos desengaños
dorados por la tarde que declina?
¿Ansias de vida nueva en nuevos años?

¿Lamentará la juventud perdida?
Lejos quedó —la pobre loba— muerta.
¿La blanca juventud nunca vivida
teme, que ha de cantar ante su puerta?

¿Sonríe al sol de oro
de la tierra de un sueño no encontrada;
y ve su nave hender el mar sonoro,
de viento y luz la blanca vela hinchada?

Él ha visto las hojas otoñales,
amarillas, rodar, las olorosas

ramas del eucalipto, los rosales
que enseñan otra vez sus blancas rosas ...
   Y este dolor que añora o desconfía
el temblor de una lágrima reprime,
y un resto de viril hipocresía
en el semblante pálido se imprime.
   Serio retrato en la pared clarea
todavía. Nosotros divagamos.
En la tristeza del hogar golpea
el tictac del reloj. Todos callamos.

II

   He andado muchos caminos,
he abierto muchas veredas;
he navegado en cien mares,
y atracado en cien riberas.
   En todas partes he visto
caravanas de tristeza,
soberbios y melancólicos
borrachos de sombra negra,
   y pedantones al paño
que miran, callan, y piensan
que saben, porque no beben
el vino de las tabernas.
   Mala gente que camina
y va apestando la tierra ...
   Y en todas partes he visto
gentes que danzan o juegan,
cuando pueden, y laboran
sus cuatro palmos de tierra.
   Nunca, si llegan a un sitio,
preguntan adónde llegan.
Cuando caminan, cabalgan
a lomos de mula vieja,
   y no conocen la prisa
ni aun en los días de fiesta.
Donde hay vino, beben vino;
donde no hay vino, agua fresca.
   Son buenas gentes que viven,
laboran, pasan y sueñan,

y en un día como tantos,
descansan bajo la tierra.

III

La plaza y los naranjos encendidos
con sus frutas redondas y risueñas.
Tumulto de pequeños colegiales
que, al salir en desorden de la escuela,
llenan el aire de la plaza en sombra
con la algazara de sus voces nuevas.
¡Alegría infantil en los rincones
de las ciudades muertas!...
¡Y algo nuestro de ayer, que todavía
vemos vagar por estas calles viejas!

IV

EN EL ENTIERRO DE UN AMIGO

Tierra le dieron una tarde horrible
del mes de julio, bajo el sol de fuego.
A un paso de la abierta sepultura,
había rosas de podridos pétalos,
entre geranios de áspera fragancia
y roja flor. El cielo
puro y azul. Corría
un aire fuerte y seco.
De los gruesos cordeles suspendido,
pesadamente, descender hicieron
el ataúd al fondo de la fosa
los dos sepultureros...
Y al reposar sonó con recio golpe,
solemne, en el silencio.
Un golpe de ataúd en tierra es algo
perfectamente serio.
Sobre la negra caja se rompían
los pesados terrones polvorientos...
El aire se llevaba
de la honda fosa el blanquecino aliento.

—Y tú, sin sombra ya, duerme y reposa,
larga paz a tus huesos ...
Definitivamente,
duerme un sueño tranquilo y verdadero.

V

RECUERDO INFANTIL

Una tarde parda y fría
de invierno. Los colegiales
estudian. Monotonía
de lluvia tras los cristales[1].
    Es la clase. En un cartel
se representa a Caín
fugitivo, y muerto Abel,
junto a una mancha carmín.
    Con timbre sonoro y hueco
truena el maestro, un anciano
mal vestido, enjuto y seco,
que lleva un libro en la mano.
    Y todo un coro infantil
va cantando la lección:
"mil veces ciento, cien mil;
mil veces mil, un millón".
    Una tarde parda y fría
de invierno. Los colegiales
estudian. Monotonía
de la lluvia en los cristales.

VI

Fue una clara tarde, triste y soñolienta
tarde de verano. La hiedra asomaba
al muro del parque, negra y polvorienta ...
    La fuente sonaba.

---

[1] En *Páginas escogidas* (Madrid, 1917), este verso aparece en la misma forma que en el final del poema. Así en las demás ediciones.

Rechinó en la vieja cancela mi llave;
con agrio ruido abrióse la puerta
de hierro mohoso y, al cerrarse, grave
golpeó el silencio de la tarde muerta.
En el solitario parque, la sonora
copla borbollante del agua cantora
me guió a la fuente. La fuente vertía
sobre el blanco mármol su monotonía.
La fuente cantaba: ¿Te recuerda, hermano,
un sueño lejano mi canto presente?
Fue una tarde lenta del lento verano.
Respondí a la fuente:
No recuerdo, hermana,
mas sé que tu copla presente es lejana.
Fue esta misma tarde: mi cristal vertía
como hoy sobre el mármol su monotonía.
¿Recuerdas, hermano?... Los mirtos talares,
que ves, sombreaban los claros cantares
que escuchas. Del rubio color de la llama,
el fruto maduro pendía en la rama,
lo mismo que ahora. ¿Recuerdas, hermano?...
Fue esta misma lenta tarde de verano.
—No sé qué me dice tu copla riente
de ensueños lejanos, hermana la fuente.
Yo sé que tu claro cristal de alegría
ya supo del árbol la fruta bermeja;
yo sé que es lejana la amargura mía
que sueña en la tarde de verano vieja.
Yo sé que tus bellos espejos cantores
copiaron antiguos delirios de amores:
mas cuéntame, fuente de lengua encantada,
cuéntame mi alegre leyenda olvidada.
—Yo no sé leyendas de antigua alegría,
sino historias viejas de melancolía.
Fue una clara tarde del lento verano...
Tú venías solo con tu pena, hermano;
tus labios besaron mi linfa serena,
y en la clara tarde, dijeron tu pena.
Dijeron tu pena tus labios que ardían;
la sed que ahora tienen, entonces tenían.
—Adiós para siempre la fuente sonora,
del parque dormido eterna cantora.

Adiós para siempre; tu monotonía,
fuente, es más amarga que la pena mía.
    Rechinó en la vieja cancela mi llave;
con agrio ruido abrióse la puerta
de hierro mohoso y, al cerrarse, grave
sonó en el silencio de la tarde muerta.

VII

    El limonero lánguido suspende
una pálida rama polvorienta
sobre el encanto de la fuente limpia,
y allá en el fondo sueñan
los frutos de oro...
            Es una tarde clara,
casi de primavera,
tibia tarde de marzo
que el hálito de abril cercano lleva;
y estoy solo, en el patio silencioso,
buscando una ilusión cándida y vieja:
alguna sombra sobre el blanco muro,
algún recuerdo, en el pretil de piedra
de la fuente dormido, o, en el aire,
algún vagar de túnica ligera.
    En el ambiente de la tarde flota
ese aroma de ausencia,
que dice al alma luminosa: nunca,
y al corazón: espera.
    Ese aroma que evoca los fantasmas
de las fragancias vírgenes y muertas.
    Sí, te recuerdo, tarde alegre y clara,
casi de primavera,
tarde sin flores, cuando me traías
el buen perfume de la hierbabuena,
y de la buena albahaca,
que tenía mi madre en sus macetas.
    Que tú me viste hundir mis manos puras
en el agua serena,
para alcanzar los frutos encantados
que hoy en el fondo de la fuente sueñan...

Sí, te conozco, tarde alegre y clara,
casi de primavera.

VIII

Yo escucho los cantos
de viejas cadencias
que los niños cantan
cuando en corro juegan,
y vierten en coro
sus almas que sueñan,
cual vierten sus aguas
las fuentes de piedra:
con monotonías
de risas eternas
que no son alegres,
con lágrimas viejas
que no son amargas
y dicen tristezas,
tristezas de amores
de antiguas leyendas.
En los labios niños,
las canciones llevan
confusa la historia
y clara la pena;
como clara el agua
lleva su conseja
de viejos amores
que nunca se cuentan.
Jugando, a la sombra
de una plaza vieja,
los niños cantaban ...
La fuerte de piedra
vertía su eterno
cristal de leyenda.
Cantaban los niños
canciones ingenuas,
de un algo que pasa
y que nunca llega:
la historia confusa
y clara la pena.

Seguía su cuento
la fuente serena;
borrada la historia,
contaba la pena[1].

IX

ORILLAS DEL DUERO

Se ha asomado una cigüeña a lo alto del campanario.
Girando en torno a la torre y al caserón solitario,
ya las golondrinas chillan. Pasaron del blanco invierno,
de nevascas y ventiscas los crudos soplos de infierno.
Es una tibia mañana.
El sol calienta un poquito la pobre tierra soriana.
Pasados los verdes pinos,
casi azules, primavera
se ve brotar en los finos
chopos de la carretera
y del río. El Duero corre, terso y mudo, mansamente.
El campo parece, más que joven, adolescente.
Entre las hierbas alguna humilde flor ha nacido,
azul o blanca. ¡Belleza del campo apenas florido,
y mística primavera!
¡Chopos del camino blanco, álamos de la ribera,
espuma de la montaña
ante la azul lejanía,
sol del día, claro día!
¡Hermosa tierra de España!

X

A la desierta plaza
conduce un laberinto de callejas.
A un lado, el viejo paredón sombrío

---

[1] En la primera edición de *Poesías completas* (Madrid, 1917), los dos
primeros versos de la estrofilla dicen:
Vertía la fuente
su eterna conseja:

de una ruinosa iglesia:
a otro lado, la tapia blanquecina
de un huerto de cipreses y palmeras,
y, frente a mí, la casa,
y en la casa la reja
ante el cristal que levemente empaña
su figurilla plácida y risueña.
Me apartaré. No quiero
llamar a tu ventana ... Primavera
viene —su veste blanca
flota en el aire de la plaza muerta—;
viene a encender las rosas
rojas de tus rosales ... Quiero verla ...

XI

Yo voy soñando caminos
de la tarde. ¡Las colinas
doradas, los verdes pinos,
las polvorientas encinas!...
¿Adónde el camino irá?
Yo voy cantando, viajero
a lo largo del sendero ...
—La tarde cayendo está—.
"En el corazón tenía
la espina de una pasión;
logré arrancármela un día:
ya no siento el corazón."

Y todo el campo un momento
se queda, mudo y sombrío,
meditando. Suena el viento
en los álamos del río.

La tarde más se oscurece;
y el camino que serpea
y débilmente blanquea,
se enturbia y desaparece.

Mi cantar vuelve a plañir:
"Aguda espina dorada,
quién te pudiera sentir
en el corazón clavada."

XII

Amada, el aura dice
tu pura veste blanca ...
No te verán mis ojos;
¡mi corazón te aguarda!
    El viento me ha traído
tu nombre en la mañana;
el eco de tus pasos
repite la montaña ...
No te verán mis ojos;
¡mi corazón te aguarda!
    En las sombrías torres
repican las campanas ...
No te verán mis ojos;
¡mi corazón te aguarda!
    Los golpes del martillo
dicen la negra caja;
y el sitio de la fosa,
los golpes de la azada ...
No te verán mis ojos;
¡mi corazón te aguarda!

XIII

Hacia un ocaso radiante
caminaba el sol de estío,
y era, entre nubes de fuego, una trompeta gigante,
tras de las álamos verdes de las márgenes del río.
    Dentro de un olmo sonaba la sempiterna tijera
de la cigarra cantora, el monorritmo jovial,
entre metal y madera,
que es la canción estival.
    En una huerta sombría
giraban los cangilones de la noria soñolienta.
Bajo las ramas oscuras el son del agua se oía.
Era una tarde de julio, luminosa y polvorienta.
    Yo iba haciendo mi camino,
absorto en el solitario crepúsculo campesino.
    Y pensaba: «¡Hermosa tarde, nota de la lira inmensa
toda desdén y armonía;

hermosa tarde, tú curas la pobre melancolía
de este rincón vanidoso, oscuro rincón que piensa!"
    Pasaba el agua rizada bajo los ojos del puente.
Lejos la ciudad dormía
como cubierta de un mago fanal de oro transparente.
Bajo los arcos de piedra el agua clara corría.
    Los últimos arreboles coronaban las colinas
manchadas de olivos grises y de negruzcas encinas.
Yo caminaba cansado,
sintiendo la vieja angustia que hace el corazón pesado.
    El agua en sombra pasaba tan melancólicamente,
bajo los arcos del puente,
como si al pasar dijera:
    "Apenas desamarrada
la pobre barca, viajero, del árbol de la ribera,
se canta: no somos nada.
Donde acaba el pobre río la inmensa mar nos espera."
    Bajo los ojos del puente pasaba el agua sombría.
(Yo pensaba: ¡el alma mía!)
    Y me detuve un momento,
en la tarde, a meditar ...
¿Qué es esta gota en el viento
que grita al mar: soy el mar?
    Vibraba el aire asordado
por los élitros cantores que hacen el campo sonoro,
cual si estuviera sembrado
de campanitas de oro.
    En el azul fulguraba
un lucero diamantino.
Cálido viento soplaba,
alborotando el camino.
    Yo, en la tarde polvorienta,
hacia la ciudad volvía.
Sonaban los cangilones de la noria soñolienta.
Bajo las ramas oscuras caer el agua se oía.

XIV

CANTE HONDO

Yo meditaba absorto, devanando
los hilos del hastío y la tristeza,

cuando llegó a mi oído,
por la ventana de mi estancia, abierta
   a una caliente noche de verano,
el plañir de una copla soñolienta,
quebrada por los trémolos sombríos
de las músicas magas de mi tierra.
   ... Y era el Amor, como una roja llama ...
—Nerviosa mano en la vibrante cuerda
ponía un largo suspirar de oro
que se trocaba en surtidor de estrellas—.
   ... Y era la Muerte, al hombro la cuchilla,
el paso largo, torva y esquelética.
—Tal cuando yo era niño la soñaba—.
   Y en la guitarra, resonante y trémula,
la brusca mano, al golpear, fingía
el reposar de un ataúd en tierra.
   Y era un plañido solitario el soplo
que el polvo barre y la ceniza avienta.

XV

   La calle en sombra. Ocultan los altos caserones
el sol que muere; hay ecos de luz en los balcones.
   ¿No ves, en el encanto del mirador florido,
el óvalo rosado de un rostro conocido?
   La imagen, tras el vidrio de equívoco reflejo,
surge o se apaga como daguerrotipo viejo.
   Suena en la calle sólo el ruido de tu paso;
se extinguen lentamente los ecos del ocaso.
   ¡Oh, angustia! Pesa y duele el corazón ... ¿Es ella?
No puede ser ... Camina... En el azul la estrella.

XVI

      Siempre fugitiva y siempre
      cerca de mí, en negro manto
      mal cubierto el desdeñoso
      gesto de tu rostro pálido.
      No sé adónde vas, ni dónde
      tu virgen belleza tálamo

busca en la noche. No sé
qué sueños cierran tus párpados,
ni de quien haya entreabierto
tu lecho inhospitalario.

. . . .

Detén el paso, belleza
esquiva, detén el paso.
   Besar quisiera la amarga,
amarga flor de tus labios.

XVII

HORIZONTE

En una tarde clara y amplia como el hastío,
cuando su lanza blande el tórrido verano,
copiaban el fantasma de un grave sueño mío
mil sombras en teoría, enhiestas sobre el llano.
   La gloria del ocaso era un purpúreo espejo,
era un cristal de llamas, que al infinito viejo
iba arrojando el grave soñar en la llanura ...
Y yo sentí la espuela sonora de mi paso
repercutir lejana en el sangriento ocaso,
y más allá, la alegre canción de un alba pura.

XVIII

EL POETA

Para el libro *La casa de la primavera*,
de Gregorio Martínez Sierra.

Maldiciendo su destino
como Glauco, el dios marino,
mira, turbia la pupila
de llanto, el mar, que le debe su blanca virgen Scyla.
   Él sabe que un Dios más fuerte
con la sustancia inmortal está jugando a la muerte,
cual niño bárbaro. Él piensa
que ha de caer como rama que sobre las aguas flota,
antes de perderse, gota
de mar, en la mar inmensa.
   En sueños oyó el acento de una palabra divina;
en sueños se le ha mostrado la cruda ley diamantina,

sin odio ni amor, y el frío
soplo del olvido sabe sobre un arenal de hastío.
　　Bajo las palmeras del oäsis el agua buena
miró brotar de la arena;
y se abrevó entre las dulces gacelas, y entre los fieros
animales carniceros...
　　Y supo cuánto es la vida hecha de sed y dolor.
Y fue compasivo para el ciervo y el cazador,
para el ladrón y el robado,
para el pájaro azorado,
para el sanguinario azor.
　　Con el sabio amargo dijo: Vanidad de vanidades[1],
todo es negra vanidad;
y oyó otra voz que clamaba, alma de sus soledades:
sólo eres tú, luz que fulges en el corazón, verdad.

　　　　　　Y viendo cómo lucían
　　　　　miles de blancas estrellas,
　　　　　pensaba que todas ellas
　　　　　en su corazón ardían.
　　　　　¡Noche de amor!
　　　　　　　　　Y otra noche
　　　　　sintió la mala tristeza
　　　　　que enturbia la pura llama,
　　　　　y el corazón que bosteza,
　　　　　y el histrión que declama[2].
　　　　　　Y dijo: Las galerías
　　　　　del alma que espera están
　　　　　desiertas, mudas, vacías:
　　　　　las blancas sombras se van.

　　Y el demonio de los sueños abrió el jardín encantado
de ayer. ¡Cuán bello era!
¡Qué hermosamente el pasado
fingía la primavera,
cuando del árbol de otoño estaba el fruto colgado,
mísero fruto podrido,
que en el hueco acibarado
guarda el gusano escondido!

---

[1] En *Poesías completas*, 1.ª edic.:
　　　　　Con el Eclesiastes dijo: Vanidad de vanidades.
[2] En *Páginas escogidas* (Madrid, 1917):
　　　　　y un corazón que bosteza,
　　　　　y un histrión que declama.

¡Alma, que en vano quisiste ser más joven cada día,
arranca tu flor, la humilde flor de la melancolía!

XIX

¡Verdes jardinillos,
claras plazoletas,
fuente verdinosa
donde el agua sueña,
donde el agua muda
resbala en la piedra!...
Las hojas de un verde
mustio, casi negras
de la acacia, el viento
de septiembre besa,
y se lleva algunas
amarillas, secas,
jugando, entre el polvo
blanco de la tierra.
Linda doncellita
que el cántaro llenas
de agua transparente,
tú, al verme, no llevas
a los negros bucles
de tu cabellera,
distraídamente,
la mano morena,
ni, luego, en el limpio
cristal te contemplas...
Tú miras al aire
de la tarde bella,
mientras de agua clara
el cántaro llenas.

DEL CAMINO

XX

PRELUDIO

Mientras la sombra pasa de un santo amor, hoy quiero
poner un dulce salmo sobre mi viejo atril.
Acordaré las notas del órgano severo
al suspirar fragante del pífano de abril.

Madurarán su aroma las pomas otoñales,
la mirra y el incienso salmodiarán su olor;
exhalarán su fresco perfume los rosales,
bajo la paz en sombra del tibio huerto en flor.

Al grave acorde lento de música y aroma,
la sola y vieja y noble razón de mi rezar
levantará su vuelo suave de paloma,
y la palabra blanca se elevará al altar.

XXI

Daba el reloj las doce ... y eran doce
golpes de azada en tierra ...
... ¡Mi hora! —grité— ... El silencio
me respondió: —No temas;
tú no verás caer la última gota
que en la clepsidra tiembla.

Dormirás muchas horas todavía
sobre la orilla vieja,
y encontrarás una mañana pura
amarrada tu barca a otra ribera.

XXII

Sobre la tierra amarga,
caminos tiene el sueño
laberínticos, sendas tortuosas,
parques en flor y en sombra y en silencio;
    criptas hondas, escalas sobre estrellas;
retablos de esperanzas y recuerdos.
Figurillas que pasan y sonríen
—juguetes melancólicos de viejo—;
    imágenes amigas,
a la vuelta florida del sendero,
y quimeras rosadas
que hacen camino ... lejos ...

XXIII

En la desnuda tierra del camino
la hora florida brota,
espino solitario,
del valle humilde en la revuelta umbrosa.
    El salmo verdadero
de tenue voz hoy torna
al corazón, y al labio,
la palabra quebrada y temblorosa.
    Mis viejos mares duermen; se apagaron
sus espumas sonoras
sobre la playa estéril. La tormenta
camina lejos en la nube torva.
    Vuelve la paz al cielo;
la brisa tutelar esparce aromas
otra vez sobre el campo, y aparece,
en la bendita soledad, tu sombra.

XXIV

El sol es un globo de fuego,
la luna es disco morado.
    Una blanca paloma se posa
en el alto ciprés centenario.

Los cuadros de mirtos parecen
de marchito velludo empolvado.
¡El jardín y la tarde tranquila!...
Suena el agua en la fuente de mármol.

XXV

¡Tenue rumor de túnicas que pasan
sobre la infértil tierra!...
¡Y lágrimas sonoras
de las campanas viejas!
Las ascuas mortecinas
del horizonte humean...
Blancos fantasmas lares
van encendiendo estrellas.
—Abre el balcón. La hora
de una ilusión se acerca...
La tarde se ha dormido
y las campanas sueñan.

XXVI

¡Oh, figuras del atrio, más humildes
cada día y lejanas:
mendigos harapientos
sobre marmóreas gradas;
miserables ungidos
de eternidades santas,
manos que surgen de los mantos viejos
y de las rotas capas!
¿Pasó por vuestro lado
una ilusión velada,
de la mañana luminosa y fría
en las horas más plácidas?...
Sobre la negra túnica, su mano
era una rosa blanca...

XXVII

La tarde todavía
dará incienso de oro a tu plegaria,

y quizás el cenit de un nuevo día
amenguará tu sombra solitaria.
    Mas no es tu fiesta el Ultramar lejano,
sino la ermita junto al manso río;
no tu sandalia el soñoliento llano
pisará, ni la arena del hastío.
    Muy cerca está, romero,
la tierra verde y santa y florecida
de tus sueños; muy cerca, peregrino
que desdeñas la sombra del sendero
y el agua del mesón en tu camino.

XXVIII

    Crear fiestas de amores
en nuestro amor pensamos,
quemar nuevos aromas
en montes no pisados,
    y guardar el secreto
de nuestros rostros pálidos,
porque en las bacanales de la vida
vacías nuestras copas conservamos,
    mientras con eco de cristal y espuma
ríen los zumos de la vid dorados.
. . . .
    Un pájaro escondido entre las ramas
del parque solitario,
silba burlón ...
                    Nosotros exprimimos
la penumbra de un sueño en nuestro vaso ...
Y algo, que es tierra en nuestra carne, siente
la humedad del jardín como un halago.

XXIX

    Arde en tus ojos un misterio, virgen
esquiva y compañera.
    No sé si es odio o es amor la lumbre
inagotable de tu aljaba negra.
    Conmigo irás mientras proyecte sombra
mi cuerpo y quede a mi sandalia arena.

—¿Eres la sed o el agua en mi camino?
Dime, virgen esquiva y compañera.

XXX

Algunos lienzos del recuerdo tienen
luz de jardín y soledad de campo;
la placidez del sueño
en el paisaje familiar soñado.
    Otros guardan las fiestas
de días aun lejanos;
figurillas sutiles
que pone un titerero en su retablo...

· ·

    Ante el balcón florido,
está la cita de un amor amargo.
    Brilla la tarde en el resol bermejo...
La hiedra efunde de los muros blancos...
    A la revuelta de una calle en sombra
un fantasma irrisorio besa un nardo.

XXXI

Crece en la plaza en sombra
el musgo, y en la piedra vieja y santa
de la Iglesia. En el atrio hay un mendigo...
Más vieja que la iglesia tiene el alma.
    Sube muy lento, en las mañanas frías,
por la marmórea grada,
hasta un rincón de piedra... Allí aparece
su mano seca entre la rota capa.
    Con las órbitas huecas de sus ojos
ha visto cómo pasan
las blancas sombras, en los claros días,
las blancas sombras de las horas santas.

XXXII

Las ascuas de un crepúsculo morado
detrás del negro cipresal humean...

En la glorieta en sombra está la fuente
con su alado y desnudo Amor de piedra,
que sueña mudo. En la marmórea taza
reposa el agua muerta.

XXXIII

   ¿Mi amor?... ¿Recuerdas, dime,
aquellos juncos tiernos,
lánguidos y amarillos
que hay en el cauce seco?...
   ¿Recuerdas la amapola
que calcinó el verano,
la amapola marchita,
negro crespón del campo?
   ¿Te acuerdas del sol yerto
y humilde, en la mañana,
que brilla y tiembla roto
sobre una fuente helada?...

XXXIV

   Me dijo un alba de la primavera:
Yo florecí en tu corazón sombrío
ha muchos años, caminante viejo
que no cortas las flores del camino.
   Tu corazón de sombra, ¿acaso guarda
el viejo aroma de mis viejos lirios?
¿Perfuman aún mis rosas la alba frente
del hada de tu sueño adamantino?
   Respondí a la mañana:
Sólo tienen cristal los sueños míos.
Yo no conozco el hada de mis sueños;
ni sé si está mi corazón florido.
   Pero si aguardas la mañana pura
que ha de romper el vaso cristalino,
quizás el hada te dará tus rosas,
mi corazón tus lirios.

XXXV

Al borde del sendero un día nos sentamos.
Ya nuestra vida es tiempo, y nuestra sola cuita
son las desesperantes posturas que tomamos
para aguardar... Mas Ella no faltará a la cita.

XXXVI

Es una forma juvenil que un día
a nuestra casa llega.
Nosotros le decimos: ¿por qué tornas
a la morada vieja?
Ella abre la ventana, y todo el campo
en luz y aroma entra.
En el blanco sendero,
los troncos de los árboles negrean;
las hojas de sus copas
son humo verde que a lo lejos sueña.
Parece una laguna
el ancho río entre la blanca niebla
de la mañana. Por los montes cárdenos
camina otra quimera.

XXXVII

¡Oh, dime, noche amiga, amada vieja,
que me traes el retablo de mis sueños
siempre desierto y desolado, y sólo
con mi fantasma dentro,
mi pobre sombra triste
sobre la estepa y bajo el sol de fuego,
o soñando amarguras
en las voces de todos los misterios,
dime, si sabes, vieja amada, dime
si son mías las lágrimas que vierto!
Me respondió la noche:
Jamás me revelaste tu secreto.
Yo nunca supe, amado,
si eras tú ese fantasma de tu sueño,

ni averigüé si era su voz la tuya,
o era la voz de un histrión grotesco.
   Dije a la noche: Amada mentirosa,
tú sabes mi secreto;
tú has visto la honda gruta
donde fabrica su cristal mi sueño,
y sabes que mis lágrimas son mías,
y sabes mi dolor, mi dolor viejo.
   ¡Oh! Yo no sé, dijo la noche, amado,
yo no sé tu secreto,
aunque he visto vagar ese que dices
desolado fantasma, por tu sueño.
Yo me asomo a las almas cuando lloran
y escucho su hondo rezo,
humilde y solitario,
ese que llamas salmo verdadero;
pero en las hondas bóvedas del alma
no sé si el llanto es una voz o un eco.
   Para escuchar tu queja de tus labios
yo te busqué en tu sueño,
y allí te vi vagando en un borroso
laberinto de espejos.

CANCIONES

XXXVIII

Abril florecía
frente a mi ventana.
Entre los jazmines
y las rosas blancas
de un balcón florido,
vi las dos hermanas.
La menor cosía,
la mayor hilaba...
Entre los jazmines
y las rosas blancas,
la más pequeñita,
risueña y rosada
—su aguja en el aire—,
miró a mi ventana.
  La mayor seguía
silenciosa y pálida,
el huso en su rueca
que el lino enroscaba.
Abril florecía
frente a mi ventana.
  Una clara tarde
la mayor lloraba,
entre los jazmines
y las rosas blancas,
y ante el blanco lino
que en su rueca hilaba.

—¿Qué tienes —le dije—
silenciosa pálida?
Señaló el vestido
que empezó la hermana.
En la negra túnica
la aguja brillaba;
sobre el velo blanco,
el dedal de plata.
Señaló a la tarde
de abril que soñaba,
mientras que se oía
tañer de campanas.
Y en la clara tarde
me enseñó sus lágrimas...
Abril florecía
frente a mi ventana.

    Fue otro abril alegre
y otra tarde plácida.
El balcón florido
solitario estaba...
Ni la pequeñita
risueña y rosada,
ni la hermana triste,
silenciosa y pálida,
ni la negra túnica,
ni la toca blanca...
Tan sólo en el huso
el lino giraba
por mano invisible,
y en la oscura sala
la luna del limpio
espejo brillaba...
Entre los jazmines
y las rosas blancas
del balcón florido,
me miré en la clara
luna del espejo
que lejos soñaba...
Abril florecía
frente a mi ventana.

XXXIX

COPLAS ELEGIACAS

¡Ay del que llega sediento
a ver el agua correr,
y dice: la sed que siento
no me la calma el beber!

¡Ay de quien bebe y, saciada
la sed, desprecia la vida:
moneda al tahúr prestada,
que sea al azar rendida!

Del iluso que suspira
bajo el orden soberano,
y del que sueña la lira
pitagórica en su mano.

¡Ay del noble peregrino
que se para a meditar,
después de largo camino
en el horror de llegar!

¡Ay de la melancolía
que llorando se consuela,
y de la melomanía
de un corazón de zarzuela!

¡Ay de nuestro ruiseñor,
si en una noche serena
se cura del mal de amor
que llora y canta sin pena!

¡De los jardines secretos,
de los pensiles soñados,
y de los sueños poblados
de propósitos discretos!

¡Ay del galán sin fortuna
que ronda a la luna bella;
de cuantos caen de la luna,
de cuantos se marchan a ella!

¡De quien el fruto prendido
en la rama no alcanzó,
de quien el fruto ha mordido
y el gusto amargo probó!

¡Y de nuestro amor primero
y de su fe mal pagada,

y, también, del verdadero
amante de nuestra amada!

XL

INVENTARIO GALANTE

Tus ojos me recuerdan
las noches de verano
negras noches sin luna,
orilla al mar salado,
y el chispear de estrellas
del cielo negro y bajo.
Tus ojos me recuerdan
las noches de verano.
Y tu morena carne,
los trigos requemados,
y el suspirar de fuego
de los maduros campos.
    Tu hermana es clara y débil
como los juncos lánguidos,
como los sauces tristes,
como los linos glaucos.
Tu hermana es un lucero
en el azul lejano ...
Y es alba y aura fría
sobre los pobres álamos
que en las orillas tiemblan
del río humilde y manso.
Tu hermana es un lucero
en el azul lejano.
    De tu morena gracia,
de tu soñar gitano,
de tu mirar de sombra
quiero llenar mi vaso.
Me embriagaré una noche
de cielo negro y bajo,
para cantar contigo,
orilla al mar salado,
una canción que deje
cenizas en los labios ...

De tu mirar de sombra
quiero llenar mi vaso.
    Para tu linda hermana
arrancaré los ramos
de florecillas nuevas
a los almendros blancos,
en un tranquilo y triste
alborear de marzo.
Los regaré con agua
de los arroyos claros,
los ataré con verdes
junquillos del remanso...
Para tu linda hermana
yo haré un ramito blanco.

XLI

    Me dijo una tarde
de la primavera:
Si buscas caminos
en flor en la tierra,
mata tus palabras
y oye tu alma vieja[1].
Que el mismo albo lino
que te vista, sea
tu traje de duelo,
tu traje de fiesta.
Ama tu alegría
y ama tu tristeza,
si buscas caminos
en flor en la tierra.
Respondí a la tarde
de la primavera:
Tú has dicho el secreto
que en mi alma reza:

---

[1] En *Poesías completas*, 1.ª edic., estaban estos versos, luego supri-
midos:

Los mismos ungüentos
y aromas y esencias
que en tus alegrías,
verteré en las penas.

yo odio la alegría
por odio a la pena.
Mas antes que pise
tu florida senda,
quisiera traerte
muerta mi alma vieja.

XLII

La vida hoy tiene ritmo
de ondas que pasan,
de olitas temblorosas
que fluyen y se alcanzan.
La vida hoy tiene el ritmo de los ríos,
la risa de las aguas
que entre los verdes junquerales corren,
y entre las verdes cañas.
Sueño florido lleva el manso viento;
bulle la savia joven en las nuevas ramas;
tiemblan alas y·frondas,
y la mirada sagital del águila
no encuentra presa ... Treme el campo en sueños,
vibra el sol como un arpa.
¡Fugitiva ilusión de ojos guerreros,
que por las selvas pasas
a la hora del cenit: tiemble en mi pecho
el oro de tu aljaba!
En tus labios florece la alegría
de los campos en flor; tu veste alada
aroman las primeras velloritas,
las violetas perfuman tus sandalias.
Yo he seguido tus pasos en el viejo bosque,
arrebatados tras la corza rápida,
y los ágiles músculos rosados
de tùs piernas silvestres entre verdes ramas.
¡Pasajera ilusión de ojos guerreros
que por las selvas pasas
cuando la tierra reverdece y ríen
los ríos en las cañas!
¡Tiemble en mi pecho el oro
que llevas en tu aljaba!

XLIII

Era una mañana y abril sonreía.
Frente al horizonte dorado moría
la luna, muy blanca y opaca; tras ella,
cual tenue ligera quimera, corría
la nube que apenas enturbia una estrella.
. . . .

Como sonreía la rosa mañana,
al sol del Oriente abrí mi ventana;
y en mi triste alcoba penetró el Oriente
en canto de alondras, en risa de fuente
y en suave perfume de flora temprana.
Fue una clara tarde de melancolía.
Abril sonreía. Yo abrí las ventanas
de mi casa al viento ... El viento traía
perfume de rosas, doblar de campanas ...
Doblar de campanas lejanas, llorosas,
suave de rosas aromado aliento ...
...¿Dónde están los huertos floridos de rosas?
¿Qué dicen las dulces campanas al viento?
. . . .

Pregunté a la tarde de abril que moría:
¿Al fin la alegría se acerca a mi casa?
La tarde de abril sonrió: La alegría
pasó por tu puerta —y luego, sombría:
Pasó por tu puerta. Dos veces no pasa.

XLIV

El casco roído y verdoso
del viejo falucho
reposa en la arena ...
La vela tronchada parece
que aún sueña en el sol y en el mar.
El mar hierve y canta ...
El mar es un sueño sonoro
bajo el sol de abril.

   El mar hierve y ríe
con olas azules y espumas de leche y de plata,
el mar hierve y ríe
bajo el cielo azul.
El mar lactescente,
el mar rutilante,
que ríe en sus liras de plata sus risas azules ...
¡Hierve y ríe el mar! ...
   El aire parece que duerme encantado
en la fúlgida niebla de sol blanquecino.
La gaviota palpita en el aire dormido, y al lento
volar soñoliento, se aleja y se pierde en la bruma del sol.

                    XLV

      El sueño bajo el sol que aturde y ciega,
   tórrido sueño en la hora de arrebol;
   el río luminoso el aire surca;
   esplende la montaña;
   la tarde es polvo y sol.
      El sibilante caracol del viento
   ronco dormita en el remoto alcor;
   emerge el sueño ingrave en la palmera,
   luego se enciende en el naranjo en flor.
      La estúpida cigüeña
   su garabato escribe en el sopor
   del molino parado; el toro abate
   sobre la hierba la testuz feroz.
      La verde, quieta espuma del ramaje
   efunde sobre el blanco paredón,
   lejano inerte, del jardín sombrío,
   dormido bajo el cielo fanfarrón.
· ·

      Lejos, enfrente de la tarde roja,
   refulge el ventanal del torreón.
· ·

HUMORISMOS, FANTASÍAS, APUNTES

LOS GRANDES INVENTOS

XLVI

LA NORIA

La tarde caía
triste y polvorienta.
El agua cantaba
su copla plebeya
en los cangilones
de la noria lenta.
Soñaba la mula,
¡pobre mula vieja!,
al compás de sombra
que en el agua suena.
La tarde caía
triste y polvorienta.
Yo no sé qué noble,
divino poeta,
unió a la amargura
de la eterna rueda
la dulce armonía
del agua que sueña,
y vendó tus ojos,
¡pobre mula vieja! ...
Mas sé que fue un noble,
divino poeta,
corazón maduro
de sombra y de ciencia

XLVII

EL CADALSO

La aurora asomaba
lejana y siniestra.
El lienzo de Oriente
sangraba tragedias,
pintarrajeadas
con nubes grotescas.
. . . .

En la vieja plaza
de una vieja aldea,
erguía su horrible
pavura esquelética
el tosco patíbulo
de fresca madera ...
La aurora asomaba
lejana y siniestra.

XLVIII

LAS MOSCAS

Vosotras, las familiares,
inevitables golosas,
vosotras, moscas vulgares,
me evocáis todas las cosas.
¡Oh, viejas moscas voraces
como abejas en abril,
viejas moscas pertinaces
sobre mi calva infantil!
¡Moscas del primer hastío
en el salón familiar,
las claras tardes de estío
en que yo empecé a soñar!
Y en la aborrecida escuela,
raudas moscas divertidas,
perseguidas
por amor de lo que vuela,

—que todo es volar—, sonoras
rebotando en los cristales
en los días otoñales ...
Moscas de todas las horas,
   de infancia y adolescencia,
de mi juventud dorada;
de esta segunda inocencia,
que da en no creer en nada,
   de siempre ... Moscas vulgares,
que de puro familiares
no tendréis digno cantor:
yo sé que os habéis posado
   sobre el juguete encantado,
sobre el librote cerrado,
sobre la carta de amor,
sobre los párpados yertos
de los muertos.
   Inevitables golosas,
que ni labráis como abejas,
ni brilláis cual mariposas;
pequeñitas, revoltosas,
vosotras, amigas viejas,
me evocáis todas las cosas.

XLIX

ELEGÍA DE UN MADRIGAL

Recuerdo que una tarde de soledad y hastío,
¡oh tarde como tantas!, el alma mía era,
bajo el azul monótono, un ancho y terso río
que ni tenía un pobre juncal en su ribera.
   ¡Oh mundo sin encanto, sentimental inopia
que borra el misterioso azogue del cristal!
¡Oh el alma sin amores que el Universo copia
con un irremediable bostezo universal!

*

Quiso el poeta recordar a solas,
las ondas bien amadas, la luz de los cabellos

que él llamaba en sus rimas rubias olas.
Leyó ... La letra mata: no se acordaba de ellos ...
   Y un día —como tantos—, al aspirar un día
aromas de una rosa que en el rosal se abría,
brotó como una llama la luz de los cabellos
que él en sus madrigales llamaba rubias olas,
brotó, porque un aroma igual tuvieron ellos ...
Y se alejó en silencio para llorar a solas.

1907.

L

ACASO ...

   Como atento no más a mi quimera
no reparaba en torno mío, un día
me sorprendió la fértil primavera
que en todo el ancho campo sonreía.
   Brotaban verdes hojas
de las hinchadas yemas del ramaje,
y flores amarillas, blancas, rojas,
alegraban [1] la mancha del paisaje.
   Y era una lluvia de saetas de oro,
el sol sobre las frondas juveniles;
del amplio río en el caudal sonoro
se miraban los álamos gentiles.
   Tras de tanto camino es la primera
vez que miro brotar la primavera,
dije, y después, declamatoriamente:
   —¡Cuán tarde ya para la dicha mía!—
Y luego, al caminar, como quien siente
a las de otra ilusión: —Y todavía
¡yo alcanzaré mi juventud un día!

LI

JARDÍN

   Lejos de tu jardín quema la tarde
inciensos de oro en purpurinas llamas,

---

[1] En *Poesías completas*, 1.ª edic., *bariolaban.*

tras el bosque de cobre y de ceniza.
En tu jardín hay dalias.
¡Malhaya tu jardín! ... Hoy me parece
la obra de un peluquero,
con esa pobre palmerilla enana,
y ese cuadro de mirtos recortados ...
y el naranjito en su tonel ... El agua
de la fuente de piedra
no cesa de reír sobre la concha blanca.

LII

FANTASÍA DE UNA NOCHE DE ABRIL

¿Sevilla? ... ¿Granada? ... La noche de luna.
Angosta la calle, revuelta y moruna,
de blancas paredes y oscuras ventanas.
Cerrados póstigos, corridas persianas ...
El cielo vestía su gasa de abril.
Un vino risueño me dijo el camino.
Yo escucho los áureos consejos del vino,
que el vino es a veces escala de ensueño.
Abril y la noche y el vino risueño
cantaron en coro su salmo de amor.
La calle copiaba, con sombra en el muro,
el paso fantasma y el sueño maduro
de apuesto embozado, galán caballero:
espada tendida, calado sombrero ...
La luna vertía su blanco soñar.
Como un laberinto mi sueño torcía
de calle en calleja. Mi sombra seguía
de aquel laberinto la sierpe encantada,
en pos de una oculta plazuela cerrada.
La luna lloraba su dulce blancor.
La casa y la clara ventana florida,
de blancos jazmines y nardos prendida,
más blancos que el blanco soñar de la luna ...
—Señora, la hora, tal vez importuna ...
¿Que espere? (La dueña se lleva el candil.)
Ya sé que sería quimera, señora,
mi sombra galante buscando a la aurora

en noches de estrellas y luna, si fuera
mentira la blanca nocturna quimera
que usurpa a la luna su trono de luz.

¡Oh dulce señora, más cándida y bella
que la solitaria matutina estrella
tan clara en el cielo! ¿Por qué silenciosa
ois mi nocturna querella amorosa?
¿Quién hizo, señora, cristal vuestra voz?...

La blanca quimera parece que sueña.
Acecha en la oscura estancia la dueña.
—Señora, si acaso otra sombra emboscada
teméis, en la sombra, fiad en mi espada...
Mi espada se ha visto a la luna brillar.

¿Acaso os parece mi gesto anacrónico?
El vuestro es, señora, sobrado lacónico.
¿Acaso os asombra mi sombra embozada,
de espada tendida y toca plumada?...
¿Seréis la cautiva del moro Gazul?

Dijéraislo, y pronto mi amor os diría
el son de mi guzla y la algarabía
más dulce que oyera ventana moruna.
Mi guzla os dijera la noche de luna,
la noche de cándida luna de abril.

Dijera la clara cantiga de plata
del patio moruno, y la serenata
que lleva el aroma de floridas preces
a los miradores y a los ajimeces,
los salmos de un blanco fantasma lunar.

Dijera las danzas de trenzas lascivas,
las muelles cadencias de ensueños, las vivas
centellas de lánguidos rostros velados,
los tibios perfumes, los huertos cerrados;
dijera el aroma letal del harén.

Yo guardo, señora, en viejo salterio [1]
también una copla de blanco misterio,
la copla más suave, más dulce y más sabia
que evoca las claras estrellas de Arabia
y aromas de un moro jardín andaluz.

---

[1] En *Poesías completas*, 1.ª edic.:
      Yo guardo, señora, en *mi* viejo salterio.

Silencio... En la noche la paz de la luna
alumbra la blanca ventana moruna.
Silencio... Es el musgo que brota, y la hiedra
que lenta desgarra la tapia de piedra...
El llanto que vierte la luna de abril.
—Si sois una sombra de la primavera
blanca entre jazmines, o antigua quimera
soñada en las trovas de dulces cantores,
yo soy una sombra de viejos cantares,
y el signo de un álgebra vieja de amores.

Los gayos, lascivos decires mejores,
los árabes albos nocturnos soñares,
las coplas mundanas, los salmos talares,
poned en mis labios;
yo soy una sombra también del amor.

Ya muerta la luna, mi sueño volvía
por la retorcida, moruna calleja.
El sol en Oriente reía
su risa más vieja.

LIII

A UN NARANJO Y A UN LIMONERO

VISTOS EN UNA TIENDA DE PLANTAS Y FLORES

Naranjo en maceta, ¡qué triste es tu suerte!
Medrosas tiritan tus hojas menguadas.
Naranjo en la corte, ¡qué pena da verte
con tus naranjitas secas y arrugadas!

Pobre limonero de fruto amarillo
cual pomo pulido de pálida cera,
¡qué pena mirarte, mísero arbolillo
criado en mezquino tonel de madera!

De los claros bosques de la Andalucía,
¿quién os trajo a esta castellana tierra
que barren los vientos de la adusta sierra,
hijos de los campos de la tierra mía?

¡Gloria de los huertos, árbol limonero,
que enciendes los frutos de pálido oro,
y alumbras del negro cipresal austero

las quietas plegarias erguidas en coro;
y fresco naranjo del patio querido,
del campo risueño y el huerto soñado,
siempre en mi recuerdo maduro o florido
de frondas y aromas y frutos cargado!

LIV

LOS SUEÑOS MALOS

Está la plaza sombría;
muere el día.
Suenan lejos las campanas.
De balcones y ventanas
se iluminan las vidrieras,
con reflejos mortecinos,
como huesos blanquecinos
y borrosas calaveras. .
En toda la tarde brilla
una luz de pesadilla.
Está el sol en el ocaso.
Suena el eco de mi paso.
—¿Eres tú? Ya te esperaba ...
—No eras tú a quien yo buscaba.

LV

HASTÍO

Pasan las horas de hastío
por la estancia familiar,
el amplio cuarto sombrío
donde yo empecé a soñar.
Del reloj arrinconado,
que en la penumbra clarea,
el tictac acompasado
odiosamente golpea.
Dice la monotonía
del agua clara al caer:
un día es como otro día;
hoy es lo mismo que ayer.

Cae la tarde. El viento agita
el parque mustio y dorado...
¡Qué largamente ha llorado
toda la fronda marchita!

LVI

Sonaba el reloj la una,
dentro de mi cuarto. Era
triste la noche. La luna,
reluciente calavera,
   ya del cenit declinando,
iba del ciprés del huerto
fríamente iluminando
el alto ramaje yerto.
   Por la entreabierta ventana
llegaban a mis oídos
metálicos alaridos
de una música lejana.
   Una música tristona,
una mazurca olvidada,
entre inocente y burlona,
mal tañida y mal soplada.
   Y yo sentí el estupor
del alma cuando bosteza
el corazón, la cabeza,
y... morirse es lo mejor.

LVII

CONSEJOS

I

Este amor que quiere ser
acaso pronto será;
pero ¿cuándo ha de volver
lo que acaba de pasar?
   Hoy dista mucho de ayer.
¡Ayer es Nunca jamás!

II

Moneda que está en la mano
quizá se deba guardar;
la monedita del alma
se pierde si no se da.

LVIII

GLOSA

Nuestras vidas son los ríos,
que van a dar a la mar,
que es el morir. ¡Gran cantar!
    Entre los poetas míos
tiene Manrique un altar.
    Dulce goce de vivir:
mala ciencia del pasar,
ciego huir a la mar.
    Tras el pavor del morir
está el placer de llegar.
    ¡Gran placer!
Mas ¿y el horror de volver?
¡Gran pesar!

LIX

    Anoche cuando dormía
soñé, ¡bendita ilusión!,
que una fontana fluía
dentro de mi corazón.
Di, ¿por qué acequia escondida,
agua, vienes hasta mí,
manantial de nueva vida
de donde nunca bebí?
    Anoche cuando dormía
soñé, ¡bendita ilusión!,
que una colmena tenía
dentro de mi corazón;
y las doradas abejas

iban fabricando en él,
con las amarguras viejas,
blanca cera y dulce miel.
　Anoche cuando dormía
soñé, ¡bendita ilusión!,
que un ardiente sol lucía
dentro de mi corazón.
Era ardiente porque daba
calores de rojo hogar,
y era sol porque alumbraba
y porque hacía llorar.
　Anoche cuando dormía
soñé, ¡bendita ilusión!,
que era Dios lo que tenía
dentro de mi corazón.

LX

　¿Mi corazón se ha dormido?
Colmenares de mis sueños,
¿ya no labráis? ¿Está seca
la noria del pensamiento,
los cangilones vacíos,
girando, de sombra llenos?
　No, mi corazón no duerme.
Está despierto, despierto.
Ni duerme ni sueña, mira,
los claros ojos abiertos,
señas lejanas y escucha
a orillas del gran silencio.

GALERÍAS

LXI

INTRODUCCIÓN

  Leyendo un claro día
mis bien amados versos,
he visto en el profundo
espejo de mis sueños
  que una verdad divina
temblando está de miedo,
y es una flor que quiere
echar su aroma al viento.
  El alma del poeta
se orienta hacia el misterio.
Sólo el poeta puede
mirar lo que está lejos
dentro del alma, en turbio
y mago sol envuelto.
  En esas galerías,
sin fondo, del recuerdo,
donde las pobres gentes
colgaron cual trofeo
  el traje de una fiesta
apolillado y viejo,
allí el poeta sabe
el laborar eterno
mirar de las doradas
abejas de los sueños.
  Poetas, con el alma
atenta al hondo cielo,

en la cruel batalla
o en el tranquilo huerto,
    la nueva miel labramos
con los dolores viejos,
la veste blanca y pura
pacientemente hacemos,
y bajo el sol bruñimos
el fuerte arnés de hierro.
    El alma que no sueña,
el enemigo espejo,
proyecta nuestra imagen
con un perfil grotesco.
    Sentimos una ola
de sangre, en nuestro pecho,
que pasa... y sonreímos,
y a laborar volvemos.

LXII

    Desgarrada la nube; el arco iris
brillando ya en el cielo,
y en un fanal de lluvia
y sol el campo envuelto.
Desperté. ¿Quién enturbia
los mágicos cristales de mi sueño?
Mi corazón latía
atónito y disperso.
    ... ¡El limonar florido,
el cipresal del huerto,
el prado verde, el sol, el agua, el iris!...
¡el agua en tus cabellos!...
Y todo en la memoria se perdía
como una pompa de jabón al viento.

LXIII

    Y era el demonio de mi sueño, el ángel
más hermoso. Brillaban
como aceros los ojos victoriosos,
y las sangrientas llamas

de su antorcha alumbraron
la honda cripta del alma.
 —¿Vendrás conmigo? —No, jamás; las tumbas
y los muertos me espantan.
Pero la férrea mano
mi diestra atenazaba.
 —Vendrás conmigo... Y avancé en mi sueño
cegado por la roja luminaria.
Y en la cripta sentí sonar cadenas,
y rebullir de fieras enjauladas.

LXIV

Desde el umbral de un sueño me llamaron...
Era la buena voz, la voz querida.
 —Dime: ¿vendrás conmigo a ver el alma?...
Llegó a mi corazón una caricia.
 —Contigo siempre... Y avancé en mi sueño
por una larga, escueta galería,
sintiendo el roce de la veste pura
y el palpitar suave de la mano amiga.

LXV

SUEÑO INFANTIL

Una clara noche
de fiesta y de luna,
noche de mis sueños,
noche de alegría
 —era luz mi alma
que hoy es bruma toda,
no eran mis cabellos
negros todavía—,
el hada más joven
me llevó en sus brazos
a la alegre fiesta
que en la plaza ardía.
So el chisporroteo
de las luminarias,

amor sus madejas
de danzas tejía.
    Y en aquella noche
de fiesta y de luna,
noche de mis sueños,
noche de alegría,
    el hada más joven
besaba mi frente ...
con su linda mano
su adiós me decía ...
    Todos los rosales
daban sus aromas,
todos los amores
amor entreabría.

LXVI

¡Y esos niños en hilera,
llevando el sol de la tarde
en sus velitas de cera! ...

*

    ¡De amarillo calabaza,
en el azul, cómo sube
la luna, sobre la plaza!

*

    Duro ceño.
Pirata, rubio africano,
barbitaheño.
    Lleva un alfanje en la mano.
Estas figuras del sueño ...

*

    Donde las niñas cantan en corro,
en los jardines del limonar,
sobre la fuente, negro abejorro
pasa volando, zumba al volar.

Se oyó un bronco gruñir de abuelo
entre las claras voces sonar,
superflua nota de violoncelo
en los jardines del limonar.
　　Entre las cuatro blancas paredes,
cuando una mano cerró el balcón,
por los salones de sal-si-puedes
suena el rebato de su bordón.
　　Muda en el techo, quieta, ¿dormida?,
la negra nota de angustia está,
y en la pradera verdiflorida
de un sueño niño volando va...

LXVII

Si yo fuera un poeta
galante, cantaría
a vuestros ojos un cantar tan puro
como en el mármol blanco el agua limpia.
　　Y en una estrofa de agua
todo el cantar sería:
　　"Ya sé que no responden a mis ojos,
que ven y no preguntan cuando miran,
los vuestros claros, vuestros ojos tienen
la buena luz tranquila,
la buena luz del mundo en flor, que he visto
desde los brazos de mi madre un día."

LXVIII

Llamó a mi corazón, un claro día,
con un perfume de jazmín, el viento.
　　—A cambio de este aroma,
todo el aroma de tus rosas quiero.
　　—No tengo rosas; flores
en mi jardín no hay ya; todas han muerto.
　　Me llevaré los llantos de las fuentes,
las hojas amarillas y los mustios pétalos.
Y el viento huyó... Mi corazón sangraba...
Alma, ¿qué has hecho de tu pobre huerto?

LXIX

Hoy buscarás en vano
a tu dolor consuelo.
　　Lleváronse tus hadas
el lino de tus sueños.
Está la fuente muda,
y está marchito el huerto.
Hoy sólo quedan lágrimas
para llorar. No hay que llorar, ¡silencio!

LXX

Y nada importa ya que el vino de oro
rebose de tu copa cristalina,
o el agrio zumo enturbie el puro vaso...
　　Tú sabes las secretas galerías
del alma, los caminos de los sueños,
y la tarde tranquila
donde van a morir... Allí te aguardan
　　las hadas silenciosas de la vida,
y hacia un jardín de eterna primavera
te llevarán un día.

LXXI

¡Tocados de otros días,
mustios encajes y marchitas sedas;
salterios arrumbados,
rincones de las salas polvorientas;
　　daguerrotipos turbios,
cartas que amarillean;
libracos no leídos
que guardan grises florecitas secas;
　　romanticismos muertos,
cursilerías viejas,
cosas de ayer que sois el alma, y cantos
y cuentos de la abuela!...

LXXII

La casa tan querida
donde habitaba ella,
sobre un montón de escombros arruinada
o derruida, enseña
el negro y carcomido
maltrabado esqueleto de madera.
La luna está vertiendo
su clara luz en sueños que platea
en las ventanas. Mal vestido y triste,
voy caminando por la calle vieja.

LXXIII

Ante el pálido lienzo de la tarde,
la iglesia, con sus torres afiladas
y el ancho campanario, en cuyos huecos
voltean suavemente las campanas,
alta y sombría, surge.
La estrella es una lágrima
en el azul celeste.
Bajo la estrella clara,
flota, vellón disperso,
una nube quimérica de plata.

LXXIV

Tarde tranquila, casi
con placidez de alma,
para ser joven, para haberlo sido
cuando Dios quiso, para
tener algunas alegrías ... lejos,
y poder dulcemente recordarlas.

LXXV

Yo, como Anacreonte,
quiero cantar, reír y echar al viento

las sabias amarguras
y los graves consejos,
    y quiero, sobre todo, emborracharme,
ya lo sabéis ... ¡Grotesco!
Pura fe en el morir, pobre alegría
y macabro danzar antes de tiempo.

LXXVI

    ¡Oh tarde luminosa!
El aire está encantado.
La blanca cigüeña
dormita volando,
y las golondrinas se cruzan, tendidas
las alas agudas al viento dorado,
y en la tarde risueña se alejan
volando, soñando ...
    Y hay una que torna como la saeta,
las alas agudas tendidas al aire sombrío,
buscando su negro rincón del tejado.
    La blanca cigüeña,
como un garabato,
tranquila y disforme, ¡tan disparatada!,
sobre el campanario.

LXXVII

    Es una tarde cenicienta y mustia,
destartalada, como el alma mía;
y es esta vieja angustia
que habita mi usual hipocondría.
    La causa de esta angustia no consigo
ni vagamente comprender siquiera;
pero recuerdo y, recordando, digo:
—Sí, yo era niño, y tú, mi compañera.

*

    Y no es verdad, dolor, yo te conozco,
tú eres nostalgia de la vida buena

y soledad de corazón sombrío,
de barco sin naufragio y sin estrella.
   Como perro olvidado que no tiene
huella ni olfato y yerra
por los caminos, sin camino, como
el niño que en la noche de una fiesta
  se pierde entre el gentío
y el aire polvoriento y las candelas
chispeantes, atónito, y asombra
su corazón de música y de pena,
   así voy yo, borracho melancólico,
guitarrista lunático, poeta,
y pobre hombre en sueños,
siempre buscando a Dios entre la niebla.

LXXVIII

   ¿Y ha de morir contigo el mundo mago
donde guarda el recuerdo
los hálitos más puros de la vida,
la blanca sombra del amor primero,
  la voz que fue a tu corazón, la mano
que tú querías retener en sueños,
y todos los amores
que llegaron al alma, al hondo cielo?
   ¿Y ha de morir contigo el mundo tuyo,
la vieja vida en orden tuyo y nuevo?
¿Los yunques y crisoles de tu alma
trabajan para el polvo y para el viento?

LXXIX

   Desnuda está la tierra,
y el alma aúlla al horizonte pálido
como loba famélica. ¿Qué buscas,
poeta, en el ocaso?
   ¡Amargo caminar, porque el camino
pesa en el corazón! ¡El viento helado,
y la noche que llega, y la amargura
de la distancia!... En el camino blanco

algunos yertos árboles negrean;
en los montes lejanos
hay oro y sangre... El sol murió... ¿Qué buscas,
poeta, en el ocaso?

LXXX

CAMPO

La tarde está muriendo
como un hogar humilde que se apaga.
    Allá, sobre los montes,
quedan algunas brasas.
    Y ese árbol roto en el camino blanco
hace llorar de lástima.
    ¡Dos ramas en el tronco herido, y una
hoja marchita y negra en cada rama!
    ¿Lloras?... Entre los álamos de oro,
lejos, la sombra del amor te aguarda.

LXXXI

A UN VIEJO Y DISTINGUIDO SEÑOR

Te he visto, por el parque ceniciento
que los poetas aman
para llorar, como una noble sombra
vagar, envuelto en tu levita larga.
    El talante cortés, ha tantos años
compuesto de una fiesta en la antesala,
¡qué bien tus pobres huesos
ceremoniosos guardan!
    Yo te he visto, aspirando distraído,
con el aliento que la tierra exhala
—hoy, tibia tarde en que las mustias hojas
húmedo viento arranca—,
del eucalipto verde
el frescor de las hojas perfumadas.
Y te he visto llevar la seca mano
a la perla que brilla en tu corbata.

LXXXII

LOS SUEÑOS

El hada más hermosa ha sonreído
al ver la lumbre de una estrella pálida,
que en hilo suave, blanco y silencioso
se enrosca al huso de su rubia hermana.
    Y vuelve a sonreír porque en su rueca
el hilo de los campos se enmaraña.
Tras la tenue cortina de la alcoba
está el jardín envuelto en luz dorada.
    La cuna, casi en sombra. El niño duerme.
Dos hadas laboriosas lo acompañan,
hilando de los sueños los sutiles
copos en ruecas de marfil y plata.

LXXXIII

    Guitarra del mesón que hoy suenas jota,
mañana petenera,
según quien llega y tañe
las empolvadas cuerdas.
    Guitarra del mesón de los caminos,
no fuiste nunca, ni serás, poeta.
    Tú eres alma que dice su armonía
solitaria a las almas pasajeras...
    Y siempre que te escucha el caminante
sueña escuchar un aire de su tierra.

LXXXIV

    El rojo sol de un sueño en el Oriente asoma.
Luz en sueños. ¿No tiemblas, andante peregrino?
Pasado el llano verde, en la florida loma,
acaso está el cercano final de tu camino.
    Tú no verás del trigo la espiga sazonada
y de macizas pomas cargado el manzanar,
ni de la vid rugosa la uva aurirrosada
ha de exprimir su alegre licor en tu lagar.

Cuando el primer aroma exhalen los jazmines
y cuando más palpiten las rosas del amor,
una mañana de oro que alumbre los jardines,
¿no huirá, como una nube dispersa, el sueño en flor?
Campo recién florido y verde, ¡quién pudiera
soñar aún largo tiempo en esas pequeñitas
corolas azuladas que manchan la pradera,
y en esas diminutas primeras margaritas!

LXXXV[1]

La primavera besaba
suavemente la arboleda,
y el verde nuevo brotaba
como una verde humareda.
  Las nubes iban pasando
sobre el campo juvenil...
Yo vi en las hojas temblando
las frescas lluvias de abril.
  Bajo ese almendro florido,
todo cargado de flor
—recordé—, yo he maldecido
mi juventud sin amor.
  Hoy, en mitad de la vida,
me he parado a meditar...
¡Juventud nunca vivida,
quién te volviera a soñar!

LXXXVI

Eran ayer mis dolores
como gusanos de seda
que iban labrando capullos;
hoy son mariposas negras.
  ¡De cuántas flores amargas
he sacado blanca cera!

---

[1] En *Páginas escogidas* (Madrid, 1917), este poema se titulaba "Nevermore".

¡Oh tiempo en que mis pesares
trabajaban como abejas!
    Hoy son como avenas locas,
o cizaña en sementera,
como tizón en espiga,
como carcoma en madera.
    ¡Oh tiempo en que mis dolores
tenían lágrimas buenas,
y eran como agua de noria
que va regando una huerta!
Hoy son agua de torrente
que arranca el limo a la tierra.
    Dolores que ayer hicieron
de mi corazón colmena,
hoy tratan mi corazón
como a una muralla vieja:
quieren derribarlo, y pronto,
al golpe de la piqueta.

LXXXVII

RENACIMIENTO

    Galerías del alma ... ¡El alma niña!
Su clara luz risueña;
y la pequeña historia,
y la alegría de la vida nueva ...
    ¡Ah, volver a nacer, y andar camino,
ya recobrada la perdida senda!
    Y volver a sentir en nuestra mano
aquel latido de la mano buena
de nuestra madre ... Y caminar en sueños
por amor de la mano que nos lleva.

*

    En nuestras almas todo
por misteriosa mano se gobierna.
Incomprensibles, mudas,
nada sabemos de las almas nuestras.

Las más hondas palabras
del sabio nos enseñan
lo que el silbar del viento cuando sopla
o el sonar de las aguas cuando ruedan.

LXXXVIII

Tal vez la mano, en sueños,
del sembrador de estrellas,
hizo sonar la música olvidada
como una nota de la lira inmensa, .
y la ola humilde a nuestros labios vino
de unas pocas palabras verdaderas.

LXXXIX

Y podrás conocerte recordando
del pasado soñar los turbios lienzos,
en este día triste en que caminas
con los ojos abiertos.
De toda la memoria, sólo vale
el don preclaro de evocar los sueños.

XC

Los árboles conservan
verdes aún las copas,
pero del verde mustio
de las marchitas frondas.
El agua de la fuente,
sobre la piedra tosca
y de verdín cubierta,
resbala silenciosa.
Arrastra el viento algunas
amarillentas hojas.
¡El viento de la tarde
sobre la tierra en sombra!

XCI

Húmedo está, bajo el laurel, el banco
de verdinosa piedra;
lavó la lluvia, sobre el muro blanco,
las empolvadas hojas de la hiedra.
   Del viento del otoño el tibio aliento
los céspedes undula, y la alameda
conversa con el viento...
¡el viento de la tarde en la arboleda!
   Mientras el sol en el ocaso esplende
que los racimos de la vid orea,
y el buen burgués, en su balcón enciende
la estoica pipa en que el tabaco humea,
   voy recordando versos juveniles...
¿Qué fue de aquel mi corazón sonoro?
¿Será cierto que os vais, sombras gentiles,
huyendo entre los árboles de oro?

VARIA

XCII

"Tournez, tournez, chevaux de bois."
VERLAINE.

Pegasos, lindos pegasos,
caballitos de madera.
. . . .

Yo conocí, siendo niño,
la alegría de dar vueltas
sobre un corcel colorado,
en una noche de fiesta.
    En el aire polvoriento
chispeaban las candelas,
y la noche azul ardía
toda sembrada de estrellas.
    ¡Alegrías infantiles
que cuestan una moneda
de cobre, lindos pegasos,
caballitos de madera!

XCIII

Deletreos de armonía
que ensaya inexperta mano.
Hastío. Cacofonía
del sempiterno piano

que yo de niño escuchaba
soñando ... no sé con qué,
  con algo que no llegaba,
todo lo que ya se fue.

XCIV [1]

En medio de la plaza y sobre tosca piedra,
el agua brota y brota. En el cercano huerto
eleva, tras el muro ceñido por la hiedra,
alto ciprés la mancha de su ramaje yerto.
  La tarde está cayendo frente a los caserones
de la ancha plaza, en sueños. Relucen las vidrieras
con ecos mortecinos de sol. En los balcones
hay formas que parecen confusas calaveras.
  La calma es infinita en la desierta plaza,
donde pasea el alma su traza de alma en pena.
El agua brota y brota en la marmórea taza.
En todo el aire en sombra no más que el agua suena.

XCV

COPLAS MUNDANAS

Poeta ayer, hoy triste y pobre
filósofo trasnochado,
tengo en monedas de cobre
el oro de ayer cambiado.
  Sin placer y sin fortuna,
pasó como una quimera
mi juventud, la primera ...
la sola, no hay más que una:
la de dentro es la de fuera.
  Pasó como un torbellino,
bohemia y aborrascada,
harta de coplas y vino,
mi juventud bien amada.

---

[1] En *Poesías completas*, 1.ª edic., este poema se titulaba "Pesadilla".

Y hoy miro a las galerías
del recuerdo, para hacer
aleluyas de elegías
desconsoladas de ayer.
　¡Adiós, lágrimas cantoras,
lágrimas que alegremente
brotabais, como en la fuente
las limpias aguas sonoras!
　¡Buenas lágrimas vertidas
por un amor juvenil,
cual frescas lluvias caídas
sobre los campos de abril!
　No canta ya el ruiseñor
de cierta noche serena;
sanamos del mal de amor
que sabe llorar sin pena.
　Poeta ayer, hoy triste y pobre
filósofo trasnochado,
tengo en monedas de cobre
el oro de ayer cambiado.

XCVI

SOL DE INVIERNO

Es mediodía. Un parque.
Invierno. Blancas sendas;
simétricos montículos
y ramas esqueléticas.
　Bajo el invernadero,
naranjos en maceta,
y en su tonel, pintado
de verde, la palmera.
　Un viejecillo dice,
para su capa vieja:
"¡El sol, esta hermosura
de sol! ..." Los niños juegan.
　El agua de la fuente
resbala, corre y sueña
lamiendo, casi muda,
la verdinosa piedra.

CAMPOS DE CASTILLA (1907-1917)

XCVII

RETRATO

Mi infancia son recuerdos de un patio de Sevilla,
y un huerto claro donde madura el limonero;
mi juventud, veinte años en tierra de Castilla;
mi historia, algunos casos que recordar no quiero.
    Ni un seductor Mañara, ni un Bradomín he sido
—ya conocéis mi torpe aliño indumentario—,
mas recibí la flecha que me asignó Cupido,
y amé cuanto ellas puedan tener de hospitalario.
    Hay en mis venas gotas de sangre jacobina,
pero mi verso brota de manantial sereno;
y, más que un hombre al uso que sabe su doctrina,
soy, en el buen sentido de la palabra, bueno.
    Adoro la hermosura, y en la moderna estética
corté las viejas rosas del huerto de Ronsard;
mas no amo los afeites de la actual cosmética,
ni soy un ave de esas del nuevo gay-trinar.
    Desdeño las romanzas de los tenores huecos
y el coro de los grillos que cantan a la luna.
A distinguir me paro las voces de los ecos,
y escucho solamente, entre las voces, una.
    ¿Soy clásico o romántico? No sé. Dejar quisiera
mi verso, como deja el capitán su espada:
famosa por la mano viril que la blandiera,
no por el docto oficio del forjador preciada.
    Converso con el hombre que siempre va conmigo

—quien habla solo espera hablar a Dios un día—;
mi soliloquio es plática con este buen amigo
que me enseñó el secreto de la filantropía.
    Y al cabo, nada os debo; debéisme cuanto he escrito.
A mi trabajo acudo, con mi dinero pago
el traje que me cubre y la mansión que habito,
el pan que me alimenta y el lecho en donde yago.
    Y cuando llegue el día del último viaje,
y esté al partir la nave que nunca ha de tornar,
me encontraréis a bordo ligero de equipaje,
casi desnudo, como los hijos de la mar.

XCVIII

A ORILLAS DEL DUERO

    Mediaba el mes de julio. Era un hermoso día.
Yo, solo, por las quiebras del pedregal subía,
buscando los recodos de sombra, lentamente.
A trechos me paraba para enjugar mi frente
y dar algún respiro al pecho jadeante;
o bien, ahincando el paso, el cuerpo hacia adelante
y hacia la mano diestra vencido y apoyado
en un bastón, a guisa de pastoril cayado,
trepaba por los cerros que habitan las rapaces
aves de altura, hollando las hierbas montaraces
de fuerte olor —romero, tomillo, salvia, espliego—.
Sobre los agrios campos caía un sol de fuego.
    Un buitre de anchas alas con majestuoso vuelo
cruzaba solitario el puro azul del cielo.
Yo divisaba, lejos, un monte alto y agudo,
y una redonda loma cual recamado escudo,
y cárdenos alcores sobre la parda tierra
—harapos esparcidos de un viejo arnés de guerra—,
las serrezuelas calvas por donde tuerce el Duero
para formar la corva ballesta de un arquero
en torno a Soria. —Soria es una barbacana,
hacia Aragón, que tiene la torre castellana—.
Veía el horizonte cerrado por colinas
oscuras, coronadas de robles y de encinas;
desnudos peñascales, algún humilde prado

donde el merino pace y el toro, arrodillado
sobre la hierba, rumia; las márgenes del río
lucir sus verdes álamos al claro sol de estío,
y, silenciosamente, lejanos pasajeros,
¡tan diminutos! —carros, jinetes y arrieros—,
cruzar el largo puente, y bajo las arcadas
de piedra ensombrecerse las aguas plateadas
del Duero.
      El Duero cruza el corazón de roble
de Iberia y de Castilla.
              ¡Oh, tierra triste y noble,
la de los altos llanos y yermos y roquedas,
de campos sin arados, regatos ni arboledas;
decrépitas ciudades, caminos sin mesones,
y atónitos palurdos sin danzas ni canciones
que aún van, abandonando el mortecino hogar,
como tus largos ríos, Castilla, hacia la mar!

Castilla miserable, ayer dominadora,
envuelta en sus andrajos desprecia cuanto ignora.
¿Espera, duerme o sueña? ¿La sangre derramada
recuerda, cuando tuvo la fiebre de la espada?
Todo se mueve, fluye, discurre, corre o gira;
cambian la mar y el monte y el ojo que los mira.
¿Pasó? Sobre sus campos aún el fantasma yerra
de un pueblo que ponía a Dios sobre la guerra.

La madre en otro tiempo fecunda en capitanes,
madrastra es hoy apenas de humildes ganapanes.
Castilla no es aquella tan generosa un día.
cuando Myo Cid Rodrigo el de Vivar volvía,
ufano de su nueva fortuna, y su opulencia,
a regalar a Alfonso los huertos de Valencia;
o que, tras la aventura que acreditó sus bríos,
pedía la conquista de los inmensos ríos
indianos a la corte, la madre de soldados,
guerreros y adalides que han de tornar, cargados
de plata y oro, a España, en regios galeones,
para la presa cuervos, para la lid leones.
Filósofos nutridos de sopa de convento
contemplan impasibles el amplio firmamento;
y si les llega en sueños, como un rumor distante,
clamor de mercaderes de muelles de Levante,
no acudirán siquiera a preguntar: ¿qué pasa?

Y ya la guerra ha abierto las puertas de su casa.
    Castilla miserable, ayer dominadora,
envuelta en sus harapos desprecia cuanto ignora.
    El sol va declinando. De la ciudad lejana
me llega un armonioso tañido de campana
—ya irán a su rosario las enlutadas viejas—.
De entre las peñas salen dos lindas comadrejas;
me miran y se alejan, huyendo, y aparecen
de nuevo, ¡tan curiosas!... Los campos se oscurecen.
Hacia el camino blanco está el mesón abierto
al campo ensombrecido y al pedregal desierto.

XCIX

POR TIERRAS DE ESPAÑA

    El hombre de estos campos que incendia los pinares
y su despojo aguarda como botín de guerra,
antaño hubo raído los negros encinares,
talado los robustos robledos de la sierra.
    Hoy ve a sus pobre hijos huyendo de sus lares;
la tempestad llevarse los limos de la tierra
por los sagrados ríos hacia los anchos mares;
y en páramos malditos trabaja, sufre y yerra.
    Es hijo de una estirpe de rudos caminantes,
pastores que conducen sus hordas de merinos
a Extremadura fértil, rebaños trashumantes
que mancha el polvo y dora el sol de los caminos.
    Pequeño, ágil, sufrido, los ojos de hombre astuto,
hundidos, recelosos, movibles; y trazadas
cual arco de ballesta, en el semblante enjuto
de pómulos salientes, las cejas muy pobladas.
    Abunda el hombre malo del campo y de la aldea,
capaz de insanos vicios y crímenes bestiales,
que bajo el pardo sayo esconde un alma fea,
esclava de los siete pecados capitales.
    Los ojos siempre turbios de envidia o de tristeza,
guarda su presa y llora la que el vecino alcanza;
ni para su infortunio ni goza su riqueza;
le hieren y acongojan fortuna y malandanza.
    El numen de estos campos es sanguinario y fiero:

al declinar la tarde, sobre el remoto alcor,
veréis agigantarse la forma de un arquero,
la forma de un inmenso centauro flechador.

    Veréis llanuras bélicas y páramos de asceta
—no fue por estos campos el bíblico jardín—:
son tierras para el águila, un trozo de planeta
por donde cruza errante la sombra de Caín.

C

EL HOSPICIO

   · Es el hospicio, el viejo hospicio provinciano,
el caserón ruinoso de ennegrecidas tejas
en donde los vencejos anidan en verano
y graznan en las noches de invierno las cornejas.

    Con su frontón al Norte, entre los dos torreones
de antigua fortaleza, el sórdido edificio
de grietados muros y sucios paredones,
es un rincón de sombra eterna. ¡El viejo hospicio!

    Mientras el sol de enero su débil luz envía,
su triste luz velada sobre los campos yermos,
a un ventanuco asoman, al declinar el día,
algunos rostros pálidos, atónitos y enfermos,

    a contemplar los montes azules de la sierra;
o, de los cielos blancos, como sobre una fosa,
caer la blanca nieve sobre la fría tierra,
¡sobre la tierra fría la nieve silenciosa!...

CI

EL DIOS IBERO

    Igual que el ballestero
tahúr de la cantiga,
tuviera una saeta el hombre ibero
para el Señor que apedreó la espiga
y malogró los frutos otoñales,
y un "gloria a ti" para el Señor que grana
centenos y trigales
que el pan bendito le darán mañana.

"Señor de la ruina,
adoro porque aguardo y porque temo:
con mi oración se inclina
hacia la tierra un corazón blasfemo.

"¡Señor, por quien arranco el pan con pena,
sé tu poder, conozco mi cadena!
¡Oh dueño de la nube del estío
que la campiña arrasa,
del seco otoño, del helar tardío,
y del bochorno que la mies abrasa!

"¡Señor del iris, sobre el campo verde
donde la oveja pace,
Señor del fruto que el gusano muerde
y de la choza que el turbión deshace,

"tu soplo el fuego del hogar aviva,
tu lumbre da sazón al rubio grano,
y cuaja el hueso de la verde oliva,
la noche de San Juan, tu santa mano!

"¡Oh dueño de fortuna y de pobreza,
ventura y malandanza,
que al rico das favores y pereza
y al pobre su fatiga y su esperanza!

"¡Señor, Señor: en la voltaria rueda
del año he visto mi simiente echada,
corriendo igual albur que la moneda
del jugador en el azar sembrada!

"¡Señor, hoy paternal, ayer cruento,
con doble faz de amor y de venganza,
a Ti, en un dado de tahúr al viento
va mi oración, blasfemia y alabanza!"

Éste que insulta a Dios en los altares,
no más atento al ceño del destino,
también soñó caminos en los mares
y dijo: es Dios sobre la mar camino.

¿No es él quien puso a Dios sobre la guerra,
más allá de la suerte,
más allá de la tierra,
más allá de la mar y de la muerte?

¿No dio la encina ibera
para el fuego de Dios la buena rama,
que fue en la santa hoguera
de amor una con Dios en pura llama?

Mas hoy ... ¡Qué importa un día!
Para los nuevos lares
estepas hay en la floresta umbría,
leña verde en los viejos encinares.
    Aún larga patria espera
abrir al corvo arado sus besanas;
para el grano de Dios hay sementera
bajo cardos y abrojos y bardanas.
    ¡Qué importa un día! Está el ayer alerto
al mañana, mañana al infinito,
hombre de España; ni el pasado ha muerto,
ni está el mañana —ni el ayer— escrito.
    ¿Quién ha visto la faz al Dios hispano?
Mi corazón aguarda
al hombre ibero de la recia mano,
que tallará en el roble castellano
el Dios adusto de la tierra parda.

CII

ORILLAS DEL DUERO

    ¡Primavera soriana, primavera
humilde, como el sueño de un bendito,
de un pobre caminante que durmiera
de cansancio en un páramo infinito!
    ¡Campillo amarillento,
como tosco sayal de campesina,
pradera de velludo polvoriento
donde pace la escuálida merina!
    ¡Aquellos diminutos pegujales
de tierra dura y fría,
donde apuntan centenos y trigales
que el pan moreno nos darán un día!
    Y otra vez roca y roca, pedregales
desnudos y pelados serrijones,
la tierra de las águilas caudales,
malezas y jarales,
hierbas monteses, zarzas y cambrones.
    ¡Oh tierra ingrata y fuerte, tierra mía!
¡Castilla, tus decrépitas ciudades!

¡La agria melancolía
que puebla tus sombrías soledades!
    ¡Castilla varonil, adusta tierra,
Castilla del desdén contra la suerte,
Castilla del dolor y de la guerra,
tierra inmortal, Castilla de la muerte!
    Era una tarde, cuando el campo huía
del sol, y en el asombro del planeta,
como un globo morado aparecía
la hermosa luna, amada del poeta.
    En el cárdeno cielo violeta
alguna clara estrella fulguraba.
El aire ensombrecido
oreaba mis sienes, y acercaba
el murmullo del agua hasta mi oído.
    Entre cerros de plomo y de ceniza
manchados de roídos encinares,
y entre calvas roquedas de caliza,
iba a embestir los ocho tajamares
del puente el padre río,
que surca de Castilla el yermo frío.
    ¡Oh Duero, tu agua corre
y correrá mientras las nieves blancas
de enero el sol de mayo
haga fluir por hoces y barrancas,
mientras tengan las sierras su turbante
de nieve y de tormenta,
y brille el olifante
del sol, tras de la nube cenicienta! ...
    ¿Y el viejo romancero
fue el sueño de un juglar junto a tu orilla?
¿Acaso como tú y por siempre, Duero,
irá corriendo hacia la mar Castilla?

CIII

LAS ENCINAS

A los señores de Masriera, en recuerdo
de una expedición al Pardo.

¡Encinares castellanos
en laderas y altozanos,

serrijones y colinas
llenos de oscura maleza,
encinas, pardas encinas;
humildad y fortaleza!

   Mientras que llenándoos va
el hacha de calvijares,
¿nadie cantaros sabrá,
encinares?

   El roble es la guerra, el roble
dice el valor y el coraje,
rabia inmoble
en su torcido ramaje;
y es más rudo
que la encina, más nervudo,
más altivo y más señor.

   El alto roble parece
que recalca y ennudece
su robustez como atleta
que, erguido, afinca en el suelo.

   El pino es el mar y el cielo
y la montaña: el planeta.
La palmera es el desierto,
el sol y la lejanía:
la sed; una fuente fría
soñada en el campo yerto.

   Las hayas son la leyenda.
Alguien, en las viejas hayas,
leía una historia horrenda
de crímenes y batallas.

   ¿Quién ha visto sin temblar
un hayedo en un pinar?
Los chopos son la ribera,
liras de la primavera,
cerca del agua que fluye,
pasa y huye,
viva o lenta,
que se emboca turbulenta
o en remanso se dilata [1].

---

[1] En *Poesías completas*, 1.ª edic.:
                o en remanso se dilata,
                y en su eterno escalofrío...

En su eterno escalofrío
copian del agua del río
las vivas ondas de plata.

   De los parques las olmedas
son las buenas arboledas
que nos han visto jugar,
cuando eran nuestros cabellos
rubios y, con nieve en ellos,
nos han de ver meditar.

   Tiene el manzano el olor
de su poma,
el eucalipto el aroma
de sus hojas, de su flor
el naranjo la fragancia;
y es del huerto
la elegancia
el ciprés oscuro y yerto.

   ¿Qué tienes tú, negra encina
campesina,
con tus ramas sin color
en el campo sin verdor;
con tu tronco ceniciento
sin esbeltez ni altiveza,
con tu vigor sin tormento,
y tu humildad que es firmeza?

   En tu copa ancha y redonda
nada brilla,
ni tu verdioscura fronda
ni tu flor verdiamarilla.

   Nada es lindo ni arrogante
en tu porte, ni guerrero,
nada fiero
que aderece su talante.
Brotas derecha o torcida
con esa humildad que cede
sólo a la ley de la vida,
que es vivir como se puede.

   El campo mismo se hizo
árbol en ti, parda encina.
Ya bajo el sol que calcina,
ya contra el hielo invernizo,
el bochorno y la borrasca,

el agosto y el enero,
los copos de la nevasca,
los hilos del aguacero,
siempre firme, siempre igual,
impasible, casta y buena,
¡oh tú, robusta y serena,
enterna encina rural
de los negros encinares
de la raya aragonesa
y las crestas militares
de la tierra pamplonesa;
encinas de Extremadura,
de Castilla, que hizo a España,
encinas de la llanura,
del cerro y de la montaña;
encinas del alto llano
que el joven Duero rodea,
y del Tajo que serpea
por el suelo toledano;
encinas de junto al mar
—en Santander—, encinar
que pones tu nota arisca,
como un castellano ceño,
en Córdoba la morisca,
y tú, encinar madrileño,
bajo Guadarrama frío,
tan hermoso, tan sombrío,
con tu adustez castellana
corrigiendo,
la vanidad y el atuendo
y la hetiquez cortesana! ...
Ya sé, encinas
campesinas,
que os pintaron, con lebreles
elegantes y corceles,
los más egregios pinceles,
y os cantaron los poetas
augustales,
que os asordan escopetas
de cazadores reales;
mas sois el campo y el lar
y la sombra tutelar

de los buenos aldeanos
que visten parda estameña,
y que cortan vuestra leña
con sus manos.

CIV [1]

¿Eres tú, Guadarrama, viejo amigo,
la sierra gris y blanca,
la sierra de mis tardes madrileñas
que yo veía en el azul pintada?
Por tus barrancos hondos
y por tus cumbres agrias,
mil Guadarramas y mil soles vienen,
cabalgando conmigo, a tus entrañas.

Camino de Balsaín, 1911.

CV

EN ABRIL, LAS AGUAS MIL

Son de abril las aguas mil.
Sopla el viento achubascado,
y entre nublado y nublado
hay trozos de cielo añil.
Agua y sol. El iris brilla.
En una nube lejana,
zigzaguea
una centella amarilla.
La lluvia da en la ventana
y el cristal repiquetea.
A través de la neblina
que forma la lluvia fina,
se divisa un prado verde,
y un encinar se esfumina,
y una sierra gris se pierde.

---

[1] En *Poesías completas*, 1.ª edic., este poema se titula "Caminos". Y está fechado en 1914.

Los hilos del aguacero
sesgan las nacientes frondas,
y agitan las turbias ondas
en el remanso del Duero.
    Lloviendo está en los habares
y en las pardas sementeras;
hay sol en los encinares[1],
charcos por las carreteras.
    Lluvia y sol. Ya se oscurece
el campo, ya se ilumina;
allí un cerro desparece,
allá surge una colina.
    Ya son claros, ya sombríos
los dispersos caseríos,
los lejanos torreones.
    Hacia la sierra plomiza
van rodando en pelotones
nubes de guata y ceniza.

CVI

UN LOCO

Es una tarde mustia y desabrida
de un otoño sin frutos, en la tierra
estéril y raída
donde la sombra de un centauro yerra.
    Por un camino en la árida llanura,
entre álamos marchitos,
a solas con su sombra y su locura
va el loco, hablando a gritos.
    Lejos se ven sombríos estepares,
colinas con malezas y cambrones,
y ruinas de viejos encinares,
coronando los agrios serrijones.
    El loco vocifera
a solas con su sombra y su quimera.

---

[1] En *Poesías completas*, 1.ª edic., se lee:
    y el sol, en los encinares.

Es horrible y grotesca su figura;
flaco, sucio, maltrecho y mal rapado,
ojos de calentura
iluminan su rostro demacrado.
  Huye de la ciudad ... Pobres maldades,
misérrimas virtudes y quehaceres
de chulos aburridos, y ruindades
de ociosos mercaderes.
  Por los campos de Dios el loco avanza.
Tras la tierra esquelética y sequiza
—rojo de herrumbre y pardo de ceniza—
hay un sueño de lirio en lontananza.
  Huye de la ciudad. ¡El tedio urbano!
—¡carne triste y espíritu villano!—.
  No fue por una trágica amargura
esta alma errante desgajada y rota;
purga un pecado ajeno: la cordura,
la terrible cordura del idiota.

CVII

FANTASÍA ICONOGRÁFICA

  La calva prematura
brilla sobre la frente amplia y severa;
bajo la piel de pálida tersura
se trasluce la fina calavera.
  Mentón agudo y pómulos marcados
por trazos de un punzón adamantino;
y de insólita púrpura manchados
los labios que soñara un florentino.
  Mientras la boca sonreír parece,
los ojos perspicaces,
que un ceño pensativo empequeñece,
miran y ven, profundos y tenaces.
  Tiene sobre la mesa un libro viejo
donde posa la mano distraída.
Al fondo de la cuadra, en el espejo,
una tarde dorada está dormida.
  Montañas de violeta
y grisientos breñales,

la tierra que ama el santo y el poeta,
los buitres y las águilas caudales.
　Del abierto balcón al blanco muro
va una franja de sol anaranjada
que inflama el aire, en el ambiente oscuro
que envuelve la armadura arrinconada.

CVIII

UN CRIMINAL

　El acusado es pálido y lampiño.
Arde en sus ojos una fosca lumbre,
que repugna a su máscara de niño
y ademán de piadosa mansedumbre.
　Conserva del oscuro seminario
el talante modesto y la costumbre
de mirar a la tierra o al breviario.
　Devoto de María,
madre de pecadores,
por Burgos bachiller en teología,
presto a tomar las órdenes menores.
　Fue su crimen atroz. Hartóse un día
de los textos profanos y divinos,
sintió pesar del tiempo que perdía
enderezando hipérbatons latinos.
　Enamoróse de una hermosa niña,
subiósele el amor a la cabeza
como el zumo dorado de la viña,
y despertó su natural fiereza.
　En sueños vio a sus padres —labradores
de mediano caudal— iluminados
del hogar por los rojos resplandores,
los campesinos rostros atezados.
　Quiso heredar. ¡Oh guindos y nogales
del huerto familiar, verde y sombrío,
y doradas espigas candeales
que colmarán las trojes del estío![1]

---

[1] En *Poesías completas*, 1.ª edic., *trojes* se masculiniza.

Y se acordó del hacha que pendía
en el muro luciente y afilada,
el hacha fuerte que la leña hacía
de la rama de roble cercenada.
. . . .

	Frente al reo, los jueces con sus viejos
ropones enlutados;
y una hilera de oscuros entrecejos
y de plebeyos rostros: los jurados.
	El abogado defensor perora,
golpeando el pupitre con la mano;
emborrona papel un escribano,
mientras oye el fiscal, indiferente,
el alegato enfático y sonoro,
y repasa los autos judiciales
o, entre sus dedos, de las gafas de oro
acaricia los límpidos cristales.
	Dice un ujier: "Va sin remedio al palo."
El joven cuervo la clemencia espera.
Un pueblo, carne de horca, la severa
justicia aguarda que castiga al malo.

CIX

AMANECER DE OTOÑO

A Julio Romero de Torres.

	Una larga carretera
entre grises peñascales,
y alguna humilde pradera
donde pacen negros toros. Zarzas, malezas, jarales.
	Está la tierra mojada
por las gotas del rocío,
y la alameda dorada,
hacia la curva del río.
	Tras los montes de violeta
quebrado el primer albor;
a la espalda la escopeta,
entre sus galgos agudos, caminando un cazador.

CX

EL TREN

Yo, para todo viaje
—siempre sobre la madera
de mi vagón de tercera—,
voy ligero de equipaje.
Si es de noche, porque no
acostumbro a dormir yo,
y de día, por mirar
los arbolitos pasar,
yo nunca duermo en el tren,
y, sin embargo, voy bien.
¡Este placer de alejarse!
Londres, Madrid, Ponferrada,
tan lindos... para marcharse.
Lo molesto es la llegada.
Luego, el tren, el caminar,
siempre nos hace soñar;
y casi, casi olvidamos
el jamelgo que montamos.
¡Oh, el pollino
que sabe bien el camino!
¿Dónde estamos?
¿Dónde todos nos bajamos?
¡Frente a mí va una monjita
tan bonita!
Tiene esa expresión serena
que a la pena
da una esperanza infinita.
Y yo pienso: Tú eres buena;
porque diste tus amores
a Jesús; porque no quieres
ser madre de pecadores.
Mas tú eres
maternal,
bendita entre las mujeres,
madrecita virginal.
Algo en tu rostro es divino
bajo tus cofias de lino.
Tus mejillas

—esas rosas amarillas—
fueron rosadas, y, luego,
ardió en tus entrañas fuego;
y hoy, esposa de la Cruz,
ya eres luz, y sólo luz...
¡Todas las mujeres bellas
fueran, como tú, doncellas
en un convento a encerrarse!...
¡Y la niña que yo quiero,
ay, preferirá casarse
con un mocito barbero!
El tren camina y camina,
y la máquina resuella,
y tose con tos ferina.
¡Vamos en una centella!

CXI

NOCHE DE VERANO

Es una hermosa noche de verano.
Tienen las altas casas
abiertos los balcones
del viejo pueblo a la anchurosa plaza.
En el amplio rectángulo desierto,
bancos de piedra, evónimos y acacias
simétricos dibujan
sus negras sombras en la arena blanca.
En el cenit, la luna, y en la torre,
la esfera del reloj iluminada.
Yo en este viejo pueblo paseando
solo, como un fantasma.

CXII

PASCUA DE RESURRECCIÓN

Mirad: el arco de la vida traza
el iris sobre el campo que verdea.
Buscad vuestros amores, doncellitas,

donde brota la fuente de la piedra.
En donde el agua ríe y sueña y pasa,
allí el romance del amor se cuenta.
¿No han de mirar un día, en vuestros brazos,
atónitos, el sol de primavera,
ojos que vienen a la luz cerrados,
y que al partirse de la vida ciegan?
¿No beberán un día en vuestros senos
los que mañana labrarán la tierra?
¡Oh, celebrad este domingo claro,
madrecitas en flor, vuestras entrañas nuevas!
Gozad esta sonrisa de vuestra ruda madre.
Ya sus hermosos nidos habitan las cigüeñas,
y escriben en las torres sus blancos garabatos.
Como esmeraldas lucen los musgos de las peñas.
Entre los robles muerden
los negros toros la menuda hierba,
y el pastor que apacienta los merinos
su pardo sayo en la montaña deja.

CXIII

CAMPOS DE SORIA

I

Es la tierra de Soria árida y fría.
Por las colinas y las sierras calvas,
verdes pradillos, cerros cenicientos,
la primavera pasa
dejando entre las hierbas olorosas
sus diminutas margaritas blancas.
La tierra no revive, el campo sueña.
Al empezar abril está nevada
la espalda del Moncayo;
el caminante lleva en su bufanda
envueltos cuello y boca, y los pastores
pasan cubiertos con sus luengas capas.

II

Las tierras labrantías,
como retazos de estameñas pardas,

el huertecillo, el abejar, los trozos
de verde oscuro en que el merino pasta,
entre plomizos peñascales, siembran
el sueño alegre de infantil Arcadia.
En los chopos lejanos del camino,
parecen humear las yertas ramas
como un glauco vapor —las nuevas hojas—
y en las quiebras de valles y barrancas
blanquean los zarzales florecidos,
y brotan las violetas perfumadas.

III

Es el campo undulado, y los caminos
ya ocultan los viajeros que cabalgan
en pardos borriquillos,
ya al fondo de la tarde arrebolada
elevan las plebeyas figurillas,
que el lienzo de oro del ocaso manchan.
Mas si trepáis a un cerro y veis el campo
desde los picos donde habita el águila,
son tornasoles de carmín y acero,
llanos plomizos, lomas plateadas,
circuidos por montes de violeta,
con las cumbres de nieve sonrosada.

IV

¡Las figuras del campo sobre el cielo!
Dos lentos bueyes aran
en un alcor, cuando el otoño empieza,
y entre las negras testas doblegadas
bajo el pesado yugo,
pende un cesto de juncos y retama,
que es la cuna de un niño;
y tras la yunta marcha
un hombre que se inclina hacia la tierra,
y una mujer que en las abiertas zanjas
arroja la semilla.
Bajo una nube de carmín y llama,
en el oro fluido y verdinoso
del poniente, las sombras se agigantan.

V

La nieve. En el mesón al campo abierto
se ve el hogar donde la leña humea
y la olla al hervir borbollonea.
El cierzo corre por el campo yerto,
alborotando en blancos torbellinos
la nieve silenciosa.
La nieve sobre el campo y los caminos,
cayendo está como sobre una fosa.
Un viejo acurrucado tiembla y tose
cerca del fuego; su mechón de lana
la vieja hila, y una niña cose
verde ribete a su estameña grana.
Padres los viejos son de un arriero
que caminó sobre la blanca tierra,
y una noche perdió ruta y sendero,
y se enterró en las nieves de la sierra.
En torno al fuego hay un lugar vacío
y en la frente del viejo, de hosco ceño,
como un tachón sombrío
—tal el golpe de un hacha sobre un leño—.
La vieja mira al campo, cual si oyera
pasos sobre la nieve. Nadie pasa.
Desierta la vecina carretera,
desierto el campo en torno de la casa.
La niña piensa que en los verdes prados
ha de correr con otras doncellitas
en los días azules y dorados,
cuando crecen las blancas margaritas.

VI

¡Soria fría, *Soria pura,*
cabeza de Extremadura,
con su castillo guerrero
arruinado, sobre el Duero;
con sus murallas roídas
y sus casas denegridas!
¡Muerta ciudad de señores
soldados o cazadores;
de portales con escudos
de cien linajes hidalgos,

y de famélicos galgos,
de galgos flacos y agudos,
que pululan
por las sórdidas callejas,
y a la medianoche ululan,
cuando graznan las cornejas!
    ¡Soria fría! La campana
de la Audiencia da la una.
Soria, ciudad castellana
¡tan bella! bajo la luna.

VII

    ¡Colinas plateadas,
grises alcores, cárdenas roquedas
por donde traza el Duero
su curva de ballesta
en torno a Soria, oscuros encinares,
ariscos pedregales, calvas sierras,
caminos blancos y álamos del río,
tardes de Soria, mística y guerrera,
hoy siento por vosotros, en el fondo
del corazón, tristeza,
tristeza que es amor! ¡Campos de Soria
donde parece que las rocas sueñan,
conmigo vais! ¡Colinas plateadas,
grises alcores, cárdenas roquedas! ...

VIII

    He vuelto a ver los álamos dorados,
álamos del camino en la ribera
del Duero, entre San Polo y San Saturio,
tras las murallas viejas
de Soria —barbacana
hacia Aragón, en castellana tierra—.
    Estos chopos del río, que acompañan
con el sonido de sus hojas secas
el son del agua, cuando el viento sopla,
tienen en sus cortezas
grabadas iniciales que son nombres
de enamorados, cifras que son fechas.
¡Álamos del amor que ayer tuvisteis

de ruiseñores vuestras ramas llenas:
álamos que seréis mañana liras
del viento perfumado en primavera:
álamos del amor cerca del agua
que corre y pasa y sueña,
álamos de las márgenes del Duero,
conmigo vais, mi corazón os lleva!

IX

¡Oh, sí! Conmigo vais, campos de Soria,
tardes tranquilas, montes de violeta,
alamedas del río, verde sueño
del suelo gris y de la parda tierra,
agria melancolía
de la ciudad decrépita.
Me habéis llegado al alma,
¿o acaso estabais en el fondo de ella?
¡Gentes del alto llano numantino
que a Dios guardáis como cristianas viejas,
que el sol de España os llene
de alegría, de luz y de riqueza!

LA TIERRA DE ALVARGONZÁLEZ

(CUENTO-LEYENDA)

(Publicado en la revista *Mundial*, de París, número 9,
enero de 1912)

Una mañana de los primeros días de octubre decidí
visitar la fuente del Duero y tomé en Soria el coche
de Burgos que había de llevarme hasta Cidones. Me
acomodé en la delantera, cerca del mayoral y entre dos
viajeros: un indiano que tornaba de Méjico a su aldea
natal, escondida en tierra de pinares, y un viejo campesino que venía de Barcelona, donde embarcara a dos
de sus hijos para el Plata. No cruzaréis la alta estepa
de Castilla sin encontrar gentes que os hablen de Ultramar.

Tomamos la ancha carretera de Burgos, dejando a nuestra izquierda el camino de Osma, bordeado de chopos que el otoño comenzaba a dorar. Soria quedaba a nuestra espalda entre grises colinas y cerros pelados. Soria, mística y guerrera, guardaba antaño la puerta de Castilla como una barbacana hacia los reinos moros que cruzó el Cid en su destierro. El Duero, en torno a Soria, forma una curva de ballesta. Nosotros llevábamos la dirección del venablo.

El indiano me hablaba de Veracruz, mas yo escuchaba al campesino que discutía con el mayoral sobre un crimen reciente. En los pinares de Duruelo, una joven vaquera había aparecido cosida a puñaladas y violada después de muerta. El campesino acusaba a un rico ganadero de Valdeavellano, preso por indicios en la cárcel de Soria, como autor indudable de tan bárbara fechoría, y desconfiaba de la justicia porque la víctima era pobre. En las pequeñas ciudades las gentes se apasionan del juego y de la política como en las grandes del arte y de la pornografía —ocios de mercaderes—, pero en los campos sólo interesan las labores que reclaman la tierra y los crímenes de los hombres.

—¿Va usted muy lejos? —pregunté al campesino.

—A Covaleda, señor —me respondió—. ¿Y usted?

—El mismo camino llevo, porque pienso subir a Urbión y tomaré el valle del Duero. A la vuelta bajaré a Vinuesa por el puerto de Santa Inés.

—Mal tiempo para subir a Urbión. Dios le libre de una tormenta por aquella sierra.

Llegados a Cidones, nos apeamos el campesino y yo, despidiéndonos del indiano, que continuaba su viaje en la diligencia hasta San Leonardo, y emprendimos en sendas caballerías el camino de Vinuesa.

Siempre que trato con hombres del campo pienso en lo mucho que ellos saben y nosotros ignoramos, y en lo poco que a ellos importa conocer cuanto nosotros sabemos.

El campesino cabalgaba delante de mí, silencioso. El hombre de aquellas tierras, serio y taciturno, habla cuando se le interroga, y es sobrio en la respuesta. Cuando la pregunta es tal que pudiera excusarse, apenas se digna contestar. Sólo se extiende en advertencias inútiles sobre las cosas que conoce bien o cuando narra historias de la tierra.

Volví los ojos al pueblecillo que dejábamos a nuestra espalda. La iglesia, con su alto campanario coronado por un hermoso nido de cigüeñas, descuella sobre unas cuantas casuchas de tierra. Hacia el camino real destácase la casa de un indiano, contrastando con el sórdido caserío. Es un hotelito moderno y mundano, rodeado de jardín y verja. Frente al pueblo se extiende una calva serrezuela de rocas grises surcadas de grietas rojizas.

Después de cabalgar dos horas llegamos a la Muedra, una aldea a medio camino entre Cidones y Vinuesa, y a pocos pasos cruzamos un puente de madera sobre el Duero.

—Por aquel sendero —me dijo el campesino, señalando a su diestra— se va a las tierras de Alvargonzález; campos malditos hoy; los mejores, antaño, de esta comarca.

—¿Alvargonzález es el nombre de su dueño? —le pregunté.

—Alvargonzález —me respondió— fue un rico labrador; mas nadie lleva ese nombre por estos contornos. La aldea donde vivió se llama como él se llamaba: Alvargonzález, y tierras de Alvargonzález a los páramos que la rodean. Tomando esa vereda llegaríamos allá antes que a Vinuesa por este camino. Los lobos, en invierno, cuando el hambre les echa de los bosques, cruzan esa aldea y se les oye aullar al pasar por las majadas que fueron de Alvargonzález, hoy vacías y arruinadas.

Siendo niño, oí contar a un pastor la historia de Alvargonzález, y sé que anda inscrita en papeles y que los ciegos la cantan por tierra de Berlanga.

Roguéle que me narrase aquella historia, y el campesino comenzó así su relato:

Siendo Alvargonzález mozo, heredó de sus padres rica hacienda. Tenía casa con huerta y colmenar, dos prados de fina hierba, campos de trigo y de centeno, un trozo de encinar no lejos de la aldea, algunas yuntas para el arado, cien ovejas, un mastín y muchos lebreles de caza.

Prendóse de una linda moza en tierras del Burgo, no lejos de Berlanga, y al año de conocerla la tomó por mujer. Era Polonia, de tres hermanas, la mayor y la más hermosa, hija de labradores que llaman los

Peribáñez, ricos en otros tiempos, entonces dueños de menguada fortuna.

Famosas fueron las bodas que se hicieron en el pueblo de la novia y las tornabodas que celebró en su aldea Alvargonzález. Hubo vihuelas, rabeles, flautas, y tamboriles, danza aragonesa y fuegos al uso valenciano. De la comarca que riega el Duero, desde Urbión, donde nace, hasta que se aleja por tierras de Burgos, se habla de las bodas de Alvargonzález y se recuerdan las fiestas de aquellos días, porque el pueblo no olvida nunca lo que brilla y truena.

Vivió feliz Alvargonzález con el amor de su esposa y el medro de sus tierras y ganados. Tres hijos tuvo, y, ya crecidos, puso el mayor a cuidar huerta y abejar; otro, al ganado, y mandó al menor a estudiar en Osma, porque lo destinaba a la iglesia.

Mucha sangre de Caín tiene la gente labradora. La envidia armó pelea en el hogar de Alvargonzález. Casáronse los mayores, y el buen padre tuvo nueras que antes de darle nietos le trajeron cizaña. Malas hembras y tan codiciosas para sus casas, que sólo pensaban en la herencia que les cabría a la muerte de Alvargonzález; por ansia de lo que esperaban no gozaban lo que tenían.

El menor, a quien los padres pusieron en el seminario, prefería las lindas mozas a rezos y latines, y colgó un día la sotana, dispuesto a no vestirse más por la cabeza. Declaró que estaba dispuesto a embarcarse para las Américas. Soñaba con correr tierras y pasar los mares y ver el mundo entero.

Mucho lloró la madre. Alvargonzález vendió el encinar y dio a su hijo cuanto había de heredar.

—Toma lo tuyo, hijo mío, y que Dios te acompañe. Sigue tu idea, y sabe que mientras tu padre viva, pan y techo tienes en esta casa; pero a mi muerte, todo será de tus hermanos.

Ya tenía Alvargonzález la frente arrugada, y por la barba le plateaba el bozo azul de la cara. Eran sus hombros todavía robustos y erguida la cabeza, que sólo blanqueaba en las sienes.

Una mañana de otoño salió solo de su casa; no iba, como otras veces, entre sus finos galgos, terciada a la espalda la escopeta. No llevaba arreo de cazador ni pensaba en cazar. Largo camino anduvo bajo los álamos amarillos de la ribera, cruzó el encinar, y, junto a una fuente que un olmo gigantesco sombreaba, detúvose fatigado. Enjugó el sudor de su frente, bebió algunos sorbos de agua y acostóse en la tierra.

Y a solas hablaba con Dios Alvargonzález, diciendo: "Dios, mi señor, que colmaste las tierras que labran mis manos, a quien debo pan en mi mesa, mujer en mi lecho y por quien crecieron robustos los hijos que engendré, por quien mis majadas rebosan de blancas merinas y se cargan de fruto los árboles de mi huerto y tienen miel las colmenas de mi abejar, sabe, Dios mío, que sé cuánto me has dado antes de que me lo quites."

Se fue quedando dormido mientras así rezaba, porque la sombra de las ramas y el agua que brotaba la piedra parecían decirle: "Duerme y descansa."

Y durmió Alvargonzález; pero su ánimo no había de reposar porque los sueños aborrascan el dormir del hombre.

Y Alvargonzález soñó que una voz le hablaba, y veía, como Jacob, una escala de luz que iba del cielo a la tierra. Sería tal vez la franja del sol que filtraban las ramas del olmo.

Difícil es interpretar los sueños que desatan el haz de nuestros propósitos para mezclarlos con recuerdos y temores. Muchos creen adivinar lo que ha de venir estudiando los sueños. Casi siempre yerran, pero alguna vez aciertan. En los sueños malos, que apesadumbran el corazón del durmiente, no es difícil acertar. Son estos sueños memorias de lo pasado, que teje y confunde la mano torpe y temblorosa de un personaje invisible: el miedo.

Soñaba Alvargonzález en su niñez. La alegre fogata del hogar bajo la ancha y negra campana de la cocina y en torno al fuego sus padres y sus hermanos. Las nudosas manos del viejo acariciaban la rubia candela. La madre pasaba las cuentas de un negro rosario. En la pared ahumada colgaba el hacha reluciente con que el viejo hacía leña de las ramas de roble.

Seguía soñando Alvargonzález, y era en sus mejores días de mozo. Una tarde de verano y un prado verde tras los muros de una huerta. A la sombra y sobre la hierba, cuando el sol caía, tiñendo de luz anaranjada las copas de los castaños, Alvargonzález levantaba el odre de cuero y el vino rojo caía en su boca, refrescándole la seca garganta. En torno suyo estaba la familia de Peribáñez: los padres y las tres lindas hermanas. De las ramas de la huerta y de la hierba del prado se elevaba una armonía de oro y cristal, como si las estrellas cantasen en la tierra antes de aparecer dispersas en el cielo silencioso. Caía la tarde, y sobre el pinar oscuro aparecía, dorada y jadeante, la luna llena, hermosa luna del amor, sobre el campo tranquilo.

Como si las hadas que hilan y tejen los sueños hubiesen puesto en sus ruecas un mechón de negra lana, ensombrecióse el soñar de Alvargonzález, y una puerta dorada abrióse, lastimando el corazón del durmiente.

Y apareció un hueco sombrío, y al fondo, por tenue claridad iluminado, el hogar desierto y sin leña. En la pared colgaba de una escarpia el hacha bruñida y reluciente.

El sueño abrióse al claro día. Tres niños juegan a la puerta de la casa. La mujer vigila, cose y a ratos sonríe. Entre los mayores brinca un cuervo negro y lustroso de ojo acerado.

—Hijos, ¿qué hacéis? —les pregunta.

Los niños se miran y callan.

—Subid al monte, hijos míos, y antes que caiga la noche traedme un brazado de leña.

Los tres niños se alejan. El menor, que ha quedado atrás, vuelve la cara y su madre lo llama. El niño vuelve hacia la casa y los hermanos siguen su camino hacia el encinar.

Y es otra vez el hogar, el hogar apagado y desierto, y en el muro colgaba el hacha reluciente.

Los mayores de Alvargonzález vuelven del monte con la tarde, cargados de estepas. La madre enciende el candil y el mayor arroja astillas y jaras sobre el tronco de roble, y quiere hacer el fuego en el hogar; cruje la leña, y los tueros, apenas encendidos, se apagan. No brota la llama en el lar de Alvargonzález. A la luz del candil brilla el hacha en el muro, y esta vez parece que gotea sangre.

—Padre, la hoguera no prende: está la leña mojada.

Acude el segundo y también se afana por hacer lumbre. Pero el fuego no quiere brotar.

El más pequeño echa sobre el hogar un puñado de estepas, y una roja llama alumbra la cocina. La madre sonríe, y Alvargonzález coge en brazos al hijo y le sienta en sus rodillas, a la diestra del fuego.

—Aunque último has nacido, tú eres el primero en mi corazón y el mejor de mi casta; porque tus manos hacen el fuego.

Los hermanos, pálidos como la muerte, se alejan por los rincones del sueño. En la diestra del mayor brilla el hacha de hierro.

Junto a la fuente dormía Alvargonzález, cuando el primer lucero brillaba en el azul, y una enorme luna teñida de púrpura se asomaba al campo ensombrecido. El agua que brotaba en la piedra parecía relatar una historia vieja y triste: la historia del crimen del campo.

Los hijos de Alvargonzález caminaban silenciosos, y vieron al padre dormido junto a la fuente. Las sombras que alargaban la tarde llegaron al durmiente antes que los asesinos. La frente de Alvargonzález tenía un tachón sombrío entre las cejas, como la huella de una segur sobre el tronco de un roble. Soñaba Alvargonzález que sus hijos venían a matarle, y al abrir los ojos vio que era cierto lo que soñaba.

Mala muerte dieron al labrador los malos hijos a la vera de la fuente. Un hachazo en el cuello y cuatro puñaladas en el pecho pusieron fin al sueño de Alvargonzález. El hacha que tenían de sus abuelos y que tanta leña cortó para el hogar, tajó el robusto cuello que los años no habían doblado todavía, y el cuchillo con que el buen padre cortaba el pan moreno que repartía a los suyos en torno a la mesa, hendido había el más noble corazón de aquella tierra. Porque Alvargonzález era bueno para su casa, pero era también mucha su caridad en la casa del pobre. Como padre habían de llorarle cuantos alguna vez llamaron a su puerta, o alguna vez le vieron en los umbrales de las suyas.

Los hijos de Alvargonzález no saben lo que han hecho. Al padre muerto arrastran hacia un barranco por donde corre un río que busca al Duero. Es un valle sombrío lleno de helechos, hayedos y pinares.

Y lo llevan a la Laguna Negra, que no tiene fondo, y allí lo arrojan con una piedra atada a los pies. La laguna está rodeada de una muralla gigantesca de rocas grises y verdosas, donde anidan las águilas y los buitres. Las gentes de la sierra en aquellos tiempos no osaban acercarse a la laguna ni aun en los días claros. Los viajeros, que, como usted, visitan estos lugares han hecho que se les pierda el miedo.

Los hijos de Alvargonzález tornaban por el valle entre los pinos gigantescos y las hayas decrépitas. No oían el agua que sonaba en el fondo del barranco. Dos lobos asomaron al verles pasar. Los lobos huyeron espantados. Fueron a cruzar el río, y el río tomó por otro cauce, y en seco lo pasaron. Caminaban por el bosque para tornar a su aldea con la noche cerrada, y los pinos, las rocas y los helechos por todas partes les dejaban vereda como si huyesen de los asesinos. Pasaron otra vez junto a la fuente, y la fuente, que contaba su vieja historia, calló mientras pasaban, y aguardó a que se alejasen para seguir contándola.

Así heredaron los malos hijos la hacienda del buen labrador que una mañana de otoño salió de su casa y no volvió ni podía volver. Al otro día se encontró su manta cerca de la fuente y un reguero de sangre camino del barranco. Nadie osó acusar del crimen a los hijos de Alvargonzález, porque el hombre del campo teme al poderoso, y nadie se atrevió a sondar la laguna, porque hubiera sido inútil. La laguna jamás devuelve lo que se traga. Un buhonero que erraba por aquellas tierras fue preso y ahorcado en Soria, a los dos meses, porque los hijos de Alvargonzález le entregaron a la justicia, y con testigos pagados lograron perderle.

La maldad de los hombres es como la Laguna Negra, que no tiene fondo.

La madre murió a los pocos meses. Los que la vieron muerta una mañana, dicen que tenía cubierto el rostro entre las manos frías y agarrotadas.

*

El sol de primavera iluminaba el campo verde, y las cigüeñas sacaban a volar a sus hijuelos en el azul de los primeros días de mayo. Crotoraban las codornices entre los trigos jóvenes: verdeaban los álamos del camino y de las riberas, y los ciruelos del huerto se llenaban de blancas flores. Sonreían las tierras de Alvargonzález a sus nuevos amos, y prometían cuanto habían rendido al viejo labrador.

Fue un año de abundancia en aquellos campos. Los hijos de Alvargonzález comenzaron a descargarse del peso de su crimen, porque a los malvados muerde la culpa cuando temen el castigo de Dios o de los hombres; pero si la fortuna ayuda y huye el temor, comen su pan alegremente, como si estuviera bendito.

Mas la codicia tiene garras para coger, pero no tiene manos para labrar. Cuando llegó el verano siguiente, la tierra empobrecida parecía fruncir el ceño a sus señores. Entre los trigos había más amapolas y hierbajos que rubias espigas. Heladas tardías habían matado en flor los frutos de la huerta. Las ovejas morían por docenas porque una vieja, a quien se tenía por bruja, les hizo mala hechicería. Y si un año era malo, otro peor le seguía. Aquellos campos estaban malditos, y los Alvargonzález venían tan a menos como iban a más querellas y enconos entre las mujeres. Cada uno de los hermanos tuvo dos hijos, que no pudieron lograrse porque el odio había envenenado la leche de las madres.

Una noche de invierno, ambos hermanos y sus mujeres rodeaban el hogar, donde ardía un fuego mezquino que se iba extinguiendo poco a poco. No tenían leña, ni podían buscarla a aquellas horas. Un viento helado penetraba por las rendijas del postigo, y se le oía bramar en la chimenea. Fuera, caía la nieve en torbellinos. Todos miraban silenciosos las ascuas mortecinas, cuando llamaron a la puerta.

—¿Quién será a estas horas? —dijo el mayor—. Abre tú.

Todos permanecieron inmóviles sin atreverse a abrir. Sonó otro golpe en la puerta y una voz que decía:

—Abrid, hermanos.

—¡Es Miguel! Abrámosle.

Cuando abrieron la puerta, cubierto de nieve y embozado en un largo capote, entró Miguel, el menor de Alvargonzález, que volvía de las Indias.

Abrazó a sus hermanos, y se sentó con ellos cerca

del hogar. Todos quedaron silenciosos. Miguel tenía los ojos llenos de lágrimas, y nadie le miraba frente a frente. Miguel, que abandonó su casa de niño, tornaba hombre rico. Sabía las desgracias de su hogar, mas no sospechaba de sus hermanos. Era su porte, caballero. La tez morena algo quemada, y el rostro enjuto, porque las tierras de Ultramar dejan siempre huella, pero en la mirada de sus grandes ojos brillaba la juventud. Sobre la frente, ancha y tersa, su cabello castaño caía en finos bucles. Era el más bello de los tres hermanos, porque al mayor le afeaba el rostro lo espeso de las cejas velludas, y al segundo, los ojos pequeños, inquietos y cobardes, de hombre astuto y cruel.

Mientras Miguel permanecía mudo y abstraído, sus hermanos le miraban al pecho, donde brillaba una gruesa cadena de oro.

El mayor rompió el silencio, y dijo:

—¿Vivirás con nosotros?

—Si queréis —contestó Miguel—. Mi equipaje llegará mañana.

—Unos suben y otros bajan —añadió el segundo—. Tú traes oro y nosotros, ya ves, ni leña tenemos para calentarnos.

El viento batía la puerta y el postigo, y aullaba en la chimenea. El frío era tan grande que estremecía los huesos.

Miguel iba a hablar cuando llamaron otra vez a la puerta. Miró a sus hermanos como preguntándoles quién podría ser a aquellas horas. Sus hermanos temblaron de espanto.

Llamaron otra vez, y Miguel abrió.

Apareció el hueco sombrío de la noche, y una racha de viento le salpicó de nieve el rostro. No vio a nadie en la puerta, mas divisó una figura que se alejaba bajo los copos blancos. Cuando volvió a cerrar, notó que en el umbral había un montón de leña. Aquella noche ardió una hermosa llama en el hogar de Alvargonzález.

Fortuna traía Miguel de las Américas, aunque no tanta como soñara la codicia de sus hermanos. Decidió afincar en aquella aldea donde había nacido, mas como sabía que toda la hacienda era de sus hermanos, les compró una parte, dándoles por ella mucho más oro del que nunca había valido. Cerróse el trato, y Miguel comenzó a labrar en las tierras malditas.

El oro devolvió la alegría al corazón de los malvados. Gastaron sin tino en el regalo y el vicio y tanto mermaron su ganancia, que al año volvieron a cultivar la tierra abandonada.

Miguel trabajaba de sol a sol. Removió la tierra con el arado, limpióla de malas hierbas, sembró trigo y centeno, y mientras los campos de sus hermanos parecían desmedrados y secos, los suyos se colmaron de rubias y macizas espigas. Sus hermanos le miraban con odio y con envidia. Miguel les ofreció el oro que le quedaba a cambio de las tierras malditas.

Las tierras de Alvargonzález eran ya de Miguel, y a ellas tornaba la abundancia de los tiempos del viejo labrador. Los mayores gastaban su dinero en locas francachelas. El juego y el vino llevábanles otra vez a la ruina.

Una noche volvían borrachos a su aldea, porque habían pasado el día bebiendo y festejando en una feria cercana. Llevaba el mayor el ceño fruncido y un pensamiento feroz bajo la frente.

—¿Cómo te explicas tú la suerte de Miguel? —dijo a su hermano—. La tierra le colma de riquezas, y a nosotros nos niega un pedazo de pan.

—Brujería y artes de Satanás —contestó el segundo.

Pasaban cerca de la huerta, y se les ocurrió asomarse a la tapia. La huerta estaba cuajada de frutos. Bajo los árboles, y entre los rosales, divisaron un hombre encorvado hacia la tierra.

—Mírale —dijo el mayor—. Hasta de noche trabaja.

—¡Eh, Miguel! —le gritaron.

Pero el hombre aquel no volvía la cara. Seguía trabajando en la tierra, cortando ramas o arrancando hierbas. Los dos atónitos borrachos achacaron al vino, que les aborrascaba la cabeza, el cerco de luz que parecía rodear la figura del hortelano. Después, el hombre se levantó y avanzó hacia ellos sin mirarles, como si buscase otro rincón del huerto para seguir trabajando. Aquel hombre tenía el rostro del viejo labrador. ¡De la laguna sin fondo había salido Alvargonzález para labrar el huerto de Miguel!

Al día siguiente, ambos hermanos recordaban haber bebido mucho vino y visto cosas raras en su borrachera. Y siguieron gastando su dinero hasta perder la última moneda. Miguel labraba sus tierras, y Dios le colmaba de riqueza.

Los mayores volvieron a sentir en sus venas la sangre de Caín, y el recuerdo del crimen, les azuzaba al crimen.

Decidieron matar a su hermano, y así lo hicieron.

Ahogáronle en la presa del molino, y una mañana apareció flotando sobre el agua.

Los malvados lloraron aquella muerte con lágrimas fingidas, para alejar sospechas en la aldea donde nadie los quería. No faltaba quien los acusase del crimen en voz baja, aunque ninguno osó llevar pruebas a la justicia.

Y otra vez volvió a los malvados la tierra de Alvargonzález.

Y el primer año tuvieron abundancia porque cosecharon la labor de Miguel; pero al segundo, la tierra se empobreció.

Un día seguía el mayor encorvado sobre la ja del arado, que abría penosamente un surco en la tierra. Cuando volvió los ojos, reparó que la tierra se cerraba y el surco desaparecía.

Su hermano cavaba en la huerta, donde sólo medraban las malas hierbas, y vio que de la tierra brotaba sangre. Apoyado en la azada contemplaba la huerta, y un frío sudor corría por su frente.

Otro día, los hijos de Alvargonzález tomaron silenciosos el camino de la Laguna Negra.

Cuando caía la tarde, cruzaban por entre las hayas y los pinos.

Dos lobos se asomaron a verles; huyeron espantados.

—¡Padre! —gritaron—. Y cuando en los huecos de las rocas el eco repetía: ¡Padre! ¡Padre! ¡Padre!, ya se los había tragado el agua de la laguna sin fondo.

CXIV

LA TIERRA DE ALVARGONZÁLEZ

Al poeta Juan Ramón Jiménez.

I

Siendo mozo Alvargonzález,
dueño de mediana hacienda,
que en otras tierras se dice
bienestar y aquí opulencia,
en la feria de Berlanga
prendóse de una doncella,
y la tomó por mujer
al año de conocerla.
Muy ricas las bodas fueron,
y quien las vio las recuerda;
sonadas las tornabodas
que hizo Alvar en su aldea;
hubo gaitas, tamboriles,
flauta, bandurria y vihuela,
fuegos a la valenciana
y danza a la aragonesa.

II

Feliz vivió Alvargonzález
en el amor de su tierra.
Naciéronle tres varones,
que en el campo son riqueza,
y, ya crecidos, los puso,
uno a cultivar la huerta,
otro a cuidar los merinos,
y dio el menor a la Iglesia.

III

Mucha sangre de Caín
tiene la gente labriega,
y en el hogar campesino
armó la envidia pelea.

Casáronse los mayores;
tuvo Alvargonzález nueras,
que le trajeron cizaña,
antes que nietos le dieran.
    La codicia de los campos
ve tras la muerte la herencia;
no goza de lo que tiene
por ansia de lo que espera.
    El menor, que a los latines
prefería las doncellas
hermosas y no gustaba
de vestir por la cabeza,
colgó la sotana un día
y partió a lejanas tierras.
La madre lloró, y el padre
diole bendición y herencia.

IV

Alvargonzález ya tiene
la adusta frente arrugada,
por la barba le platea
la sombra azul de la cara.
    Una mañana de otoño
salió solo de su casa;
no llevaba sus lebreles,
agudos canes de caza;
    iba triste y pensativo
por la alameda dorada;
anduvo largo camino
y llegó a una fuente clara.
    Echóse en la tierra; puso
sobre una piedra la manta,
y a la vera de la fuente
durmió al arrullo del agua.

EL SUEÑO

I

Y Alvargonzález veía,
como Jacob, una escala

que iba de la tierra al cielo,
y oyó una voz que le hablaba.
Mas las hadas hilanderas,
entre las vedijas blancas
y vellones de oro, han puesto
un mechón de negra lana.

II

Tres niños están jugando
a la puerta de su casa;
entre los mayores brinca
un cuervo de negras alas.
La mujer vigila, cose
y, a ratos, sonríe y canta.
—Hijos, ¿qué hacéis? —les pregunta.
Ellos se miran y callan.
—Subid al monte, hijos míos,
y antes que la noche caiga,
con un brazado de estepas
hacedme una buena llama.

III

Sobre el lar de Alvargonzález
está la leña apilada;
el mayor quiere encenderla,
pero no brota la llama.
—Padre, la hoguera no prende,
está la estepa mojada.
Su hermano viene a ayudarle
y arroja astillas y ramas
sobre los troncos de roble;
pero el rescoldo se apaga.
Acude el menor, y enciende,
bajo la negra campana
de la cocina, una hoguera
que alumbra toda la casa.

IV

Alvargonzález levanta
en brazos al más pequeño
y en sus rodillas lo sienta;

—Tus manos hacen el fuego;
aunque el último naciste
tú eres en mi amor primero.
   Los dos mayores se alejan
por los rincones del sueño.
Entre los dos fugitivos
reluce un hacha de hierro.

AQUELLA TARDE ...

I

   Sobre los campos desnudos,
la luna llena manchada
de un arrebol purpurino,
enorme globo, asomaba.
Los hijos de Alvargonzález
silenciosos caminaban,
y han visto al padre dormido
junto de la fuente clara.

II

   Tiene el padre entre las cejas
un ceño que le aborrasca
el rostro, un tachón sombrío
como la huella de un hacha.
Soñando está con sus hijos,
que sus hijos lo apuñalan;
y cuando despierta mira
que es cierto lo que soñaba.

III

   A la vera de la fuente
quedó Alvargonzález muerto.
Tiene cuatro puñaladas
entre el costado y el pecho,
por donde la sangre brota,
más un hachazo en el cuello.
Cuenta la hazaña del campo
el agua clara corriendo,

mientras los dos asesinos
huyen hacia los hayedos.
Hasta la Laguna Negra,
bajo las fuentes del Duero,
llevan el muerto, dejando
detrás un rastro sangriento;
y en la laguna sin fondo,
que guarda bien los secretos,
con una piedra amarrada
a los pies, tumba le dieron.

IV

Se encontró junto a la fuente
la manta de Alvargonzález,
y, camino del hayedo,
se vio un reguero de sangre.
Nadie de la aldea ha osado
a la laguna acercarse,
y el sondarla inútil fuera,
que es la laguna insondable.
Un buhonero, que cruzaba
aquellas tierras errante,
fue en Dauria acusado, preso
y muerto en garrote infame.

V

Pasados algunos meses,
la madre murió de pena.
Los que muerta la encontraron
dicen que las manos yertas
sobre su rostro tenía,
oculto el rostro con ellas.

VI

Los hijos de Alvargonzález
ya tienen majada y huerta,
campos de trigo y centeno
y prados de fina hierba;
en el olmo viejo, hendido

por el rayo, la colmena,
dos yuntas para el arado,
un mastín y mil ovejas.

OTROS DÍAS

I

Ya están las zarzas floridas
y los ciruelos blanquean;
ya las abejas doradas
liban para sus colmenas,
y en los nidos, que coronan
las torres de las iglesias,
asoman los garabatos
ganchudos de las cigüeñas.
Ya los olmos del camino
y chopos de las riberas
de los arroyos, que buscan
al padre Duero, verdean.
El cielo está azul, los montes
sin nieve son de violeta.
La tierra de Alvargonzález
se colmará de riqueza;
muerto está quien la ha labrado,
mas no le cubre la tierra.

II

La hermosa tierra de España
adusta, fina y guerrera
Castilla, de largos ríos,
tiene un puñado de sierras
entre Soria y Burgos como
reductos de fortaleza,
como yelmos crestonados,
y Urbión es una cimera.

III

Los hijos de Alvargonzález,
por una empinada senda,

para tomar el camino
de Salduero a Covaleda,
cabalgan en pardas mulas,
bajo el pinar de Vinuesa.
Van en busca de ganado
con que volver a su aldea,
y por tierra de pinares
larga jornada comienzan.
Van Duero arriba, dejando
atrás los arcos de piedra
del puente y el caserío
de la ociosa y opulenta
villa de indianos. El río,
al fondo del valle, suena,
y de las cabalgaduras
los cascos baten las piedras.
A la otra orilla del Duero
canta una voz lastimera:
"La tierra de Alvargonzález
se colmará de riqueza,
y el que la tierra ha labrado
no duerme bajo la tierra."

IV

Llegados son a un paraje
en donde el pinar se espesa,
y el mayor, que abre la marcha,
su parda mula espolea,
diciendo: —Démonos prisa;
porque son más de dos leguas
de pinar y hay que apurarlas
antes que la noche venga.
Dos hijos del campo, hechos
a quebradas y asperezas,
porque recuerdan un día
la tarde en el monte tiemblan.
Allá en lo espeso del bosque
otra vez la copla suena:
"La tierra de Alvargonzález
se colmará de riqueza,
y el que la tierra ha labrado
no duerme bajo la tierra."

V

Desde Salduero el camino
va al hilo de la ribera;
a ambas márgenes del río
el pinar crece y se eleva,
y las rocas se aborrascan,
al par que el valle se estrecha.
Los fuertes pinos del bosque
con sus copas gigantescas
y sus desnudas raíces
amarradas a las piedras;
los de troncos plateados
cuyas frondas azulean,
pinos jóvenes; los viejos,
cubiertos de blanca lepra,
musgos y líquenes canos
que el grueso tronco rodean,
colman el valle y se pierden
rebasando ambas laderas
Juan, el mayor, dice: —Hermano,
si Blas Antonio apacienta
cerca de Urbión su vacada,
largo camino nos queda.
—Cuanto hacia Urbión alarguemos
se puede acortar de vuelta,
tomando por el atajo,
hacia la Laguna Negra
y bajando por el puerto
de Santa Inés a Vinuesa.
—Mala tierra y peor camino.
Te juro que no quisiera
verlos otra vez. Cerremos
los tratos en Covaleda;
hagamos noche y, al alba,
volvámonos a la aldea
por este valle, que, a veces,
quien piensa atajar rodea.
Cerca del río cabalgan
los hermanos, y contemplan
cómo el bosque centenario,
al par que avanzan, aumenta,

y la roqueda del monte
el horizonte les cierra.
El agua, que va saltando,
parece que canta o cuenta:
"La tierra de Alvargonzález
se colmará de riqueza,
y el que la tierra ha labrado
no duerme bajo la tierra."

CASTIGO

I

Aunque la codicia tiene
redil que encierre la oveja,
trojes que guarden el trigo,
bolsas para la moneda,
y garras, no tiene manos
que sepan labrar la tierra
Así, a un año de abundancia
siguió un año de pobreza.

II

En los sembrados crecieron
las amapolas sangrientas;
pudrió el tizón las espigas
de trigales y de avenas;
hielos tardíos mataron
en flor la fruta en la huerta,
y una mala hechicería
hizo enfermar las ovejas.
A los dos Alvargonzález
maldijo Dios en sus tierras,
y al año pobre siguieron
largos años de miseria.

III

Es una noche de invierno.
Cae la nieve en remolinos.
Los Alvargonzález velan
un fuego casi extinguido.

El pensamiento amarrado
tienen a un recuerdo mismo,
y en las ascuas mortecinas
del hogar los ojos fijos.
No tienen leña ni sueño.
Larga es la noche y el frío
arrecia. Un candil humea [1]
en el muro ennegrecido.
El aire agita la llama,
que pone un fulgor rojizo
sobre las dos pensativas [2]
testas de los asesinos.
El mayor de Alvargonzález,
lanzando un ronco suspiro,
rompe el silencio, exclamando:
—Hermano, ¡qué mal hicimos!
El viento la puerta bate,
hace temblar el postigo,
y suena en la chimenea
con hueco y largo bramido.
Después, el silencio vuelve,
y a intervalos el pabilo
del candil chisporrotea
en el aire aterecido.
El segundo dijo: —Hermano,
¡demoslo viejo al olvido!

EL VIAJERO

I

Es una noche de invierno.
Azota el viento las ramas
de los álamos. La nieve
ha puesto la tierra blanca.

---

1 En *Poesías completas*, 1.ª edic.:
           Larga es la noche y el frío
           mucho. Un candilejo humea...
2 En *Poesías completas*, 1.ª edic.:
           sobre entrambas pensativas...

Bajo la nevada, un hombre
por el camino cabalga;
va cubierto hasta los ojos,
embozado en negra capa [1].
Entrado en la aldea, busca
de Alvargonzález la casa,
y ante su puerta llegado,
sin echar pie a tierra, llama.

II

Los dos hermanos oyeron
una aldabada a la puerta,
y de una cabalgadura
los cascos sobre las piedras.
Ambos los ojos alzaron
llenos de espanto y sorpresa.
—¿Quién es? Responda —gritaron.
—Miguel —respondieron fuera.
Era la voz del viajero
que partió a lejanas tierras.

III

Abierto el portón, entróse
a caballo el caballero
y echó pie a tierra. Venía
todo de nieve cubierto.
En brazos de sus hermanos
lloró algún rato en silencio.
Después dio el caballo al uno,
al otro, capa y sombrero,
y en la estancia campesina
buscó el arrimo del fuego.

IV

El menor de los hermanos,
que niño y aventurero
fue más allá de los mares

---

[1] En *Poesías completas*, 1.ª edic.:
                embozado en luenga capa.

y hoy torna indiano opulento,
vestía con negro traje
de peludo terciopelo,
ajustado a la cintura
por ancho cinto de cuero.
Gruesa cadena formaba
un bucle de oro en su pecho.
Era un hombre alto y robusto,
con ojos grandes y negros
llenos de melancolía;
la tez de color moreno,
y sobre la frente comba
enmarañados cabellos;
el hijo que saca porte
señor de padre labriego,
a quien fortuna le debe
amor, poder y dinero.
De los tres Alvargonzález
era Miguel el más bello;
porque al mayor afeaba
el muy poblado entrecejo
bajo la frente mezquina,
y al segundo, los inquietos
ojos que mirar no saben
de frente, torvos y fieros.

                    V

    Los tres hermanos contemplan
el triste hogar en silencio;
y con la noche cerrada
arrecia el frío y el viento.
—Hermanos, ¿no tenéis leña?
—dice Miguel.
                —No tenemos
—responde el mayor.
                        Un hombre,
milagrosamente, ha abierto
la gruesa puerta cerrada
con doble barra de hierro.
El hombre que ha entrado tiene
el rostro del padre muerto.

Un halo de luz dorada
orla sus blancos cabellos.
Lleva un haz de leña al hombro
y empuña un hacha de hierro.

EL INDIANO

I

De aquellos campos malditos,
Miguel a sus dos hermanos
compró una parte, que mucho
caudal de América trajo,
y aun en tierra mala, el oro
luce mejor que enterrado,
y más en mano de pobres
que oculto en orza de barro.
    Diose a trabajar la tierra
con fe y tesón el indiano,
y a laborar los mayores
sus pegujales tornaron.
    Ya con macizas espigas,
preñadas de rubios granos,
a los campos de Miguel
tornó el fecundo verano;
y ya de aldea en aldea
se cuenta como un milagro,
que los asesinos tienen
la maldición en sus campos.
    Ya el pueblo canta una copla
que narra el crimen pasado:
"A la orilla de la fuente
lo asesinaron.
¡Qué mala muerte le dieron
los hijos malos!
En la laguna sin fondo
al padre muerto arrojaron.
No duerme bajo la tierra
el que la tierra ha labrado."

II

Miguel, con sus dos lebreles
y armado de su escopeta,
hacia el azul de los montes,
en una tarde serena,
caminaba entre los verdes
chopos de la carretera,
y oyó una voz que cantaba:
"No tiene tumba en la tierra.
Entre los pinos del valle
del Revinuesa,
al padre muerto llevaron
hasta la Laguna Negra."

LA CASA

I

La casa de Alvargonzález
era una casona vieja,
con cuatro estrechas ventanas,
separada de la aldea
cien pasos y entre dos olmos
que, gigantes centinelas,
sombra le dan en verano,
y en el otoño hojas secas.
Es casa de labradores,
gente aunque rica plebeya,
donde el hogar humeante
con sus escaños de piedra
se ve sin entrar, si tiene
abierta al campo la puerta.
Al arrimo del rescoldo
del hogar borbollonean
dos pucherillos de barro,
que a dos familias sustentan.
A diestra mano, la cuadra
y el corral; a la siniestra,
huerto y abejar, y, al fondo,
una gastada escalera,
que va a las habitaciones
partidas en dos viviendas.

Los Alvargonzález moran
con sus mujeres en ellas.
A ambas parejas que hubieron,
sin que lograrse pudieran,
dos hijos, sobrado espacio
les da la casa paterna.

En una estancia que tiene
luz al huerto, hay una mesa
con gruesa tabla de roble,
dos sillones de vaqueta,
colgado en el muro, un negro
ábaco de enormes cuentas,
y unas espuelas mohosas
sobre un arcón de madera.

Era una estancia olvidada
donde hoy Miguel se aposenta.
Y era allí donde los padres
veían en primavera
el huerto en flor, y en el cielo
de mayo, azul, la cigüeña
—cuando las rosas se abren
y los zarzales blanquean—
que enseñaba a sus hijuelos
a usar de las alas lentas.

Y en las noches del verano,
cuando la calor desvela,
desde la ventana al dulce
ruiseñor cantar oyeran.

Fue allí donde Alvargonzález,
del orgullo de su huerta
y del amor a los suyos,
sacó sueños de grandeza.

Cuando en brazos de la madre
vio la figura risueña
del primer hijo, bruñida
de rubio sol la cabeza,
del niño que levantaba
las codiciosas, pequeñas
manos a las rojas guindas
y a las moradas ciruelas,
o aquella tarde de otoño,
dorada, plácida y buena,

él pensó que ser podría
feliz el hombre en la tierra.
　　Hoy canta el pueblo una copla
que va de aldea en aldea:
"¡Oh casa de Alvargonzález,
qué malos días te esperan;
casa de los asesinos,
que nadie llame a tu puerta!"

II

　　Es una tarde de otoño.
En la alameda dorada
no quedan ya ruiseñores;
enmudeció la cigarra.
　　Las últimas golondrinas,
que no emprendieron la marcha,
morirán, y las cigüeñas
de sus nidos de retamas,
en torres y campanarios,
huyeron.
　　　　　　Sobre la casa
de Alvargonzález, los olmos
sus hojas que el viento arranca
van dejando. Todavía
las tres redondas acacias,
en el atrio de la iglesia[1],
conservan verdes sus ramas,
y las castañas de Indias
a intervalos se desgajan
cubiertas de sus erizos;
tiene el rosal rosas grana
otra vez, y en las praderas
brilla la alegre otoñada.
　　En laderas y en alcores,
en ribazos y en cañadas[2],

---

[1] En *Poesías completas*, 1.ª edic.:
　　　　　　frente al atrio de la iglesia...
　　En *Páginas escogidas*:
　　　　　　frente al atrio de la iglesia...
[2] En *Páginas escogidas*, para más eufonía:
　　　　　　en ribazos y cañadas.

el verde nuevo y la hierba,
aún del estío quemada,
alternan; los serrijones
pelados, las lomas calvas,
se coronan de plomizas
nubes apelotonadas;
y bajo el pinar gigante,
entre las marchitas zarzas
y amarillentos helechos,
corren las crecidas aguas
a engrosar el padre río
por canchales y barrancas.

Abunda en la tierra un gris
de plomo y azul de plata,
con manchas de roja herrumbre,
todo envuelto en luz violada.

¡Oh tierras de Alvargonzález,
en el corazón de España,
tierras pobres, tierras tristes,
tan tristes que tienen alma!

Páramo que cruza el lobo
aullando a la luna clara
de bosque a bosque, baldíos
llenos de peñas rodadas,
donde roída de buitres
brilla una osamenta blanca;
pobres campos solitarios
sin caminos ni posadas,
¡oh pobres campos malditos,
pobres campos de mi patria!

LA TIERRA

I

Una mañana de otoño,
cuando la tierra se labra,
Juan y el indiano aparejan
las dos yuntas de la casa.
Martín se quedó en el huerto
arrancando hierbas malas.

II

Una mañana de otoño,
cuando los campos se aran,
sobre un otero, que tiene
el cielo de la mañana
por fondo, la parda yunta
de Juan lentamente avanza.

Cardos, lampazos y abrojos,
avena loca y cizaña,
llenan la tierra maldita,
tenaz a pico y a escarda.

Del corvo arado de roble
la hundida reja trabaja
con vano esfuerzo; parece,
que al par que hiende la entraña
del campo y hace camino
se cierra otra vez la zanja.

"Cuando el asesino labre
será su labor pesada;
antes que un surco en la tierra,
tendrá una arruga en su cara."

III

Martín, que estaba en la huerta
cavando, sobre su azada
quedó apoyado un momento;
frío sudor le bañaba
el rostro.
                    Por el Oriente,
la luna llena, manchada
de un arrebol purpurino,
lucía tras de la tapia
del huerto.
                    Martín tenía
la sangre de horror helada.
La azada que hundió en la tierra
teñida de sangre estaba.

IV

En la tierra en que ha nacido
supo afincar el indiano;

por mujer a una doncella
rica y hermosa ha tomado.
　La hacienda de Alvargonzález
ya es suya, que sus hermanos
todo le vendieron: casa,
huerto, colmenar y campo.

LOS ASESINOS

I

　Juan y Martín, los mayores
de Alvargonzález, un día
pesada marcha emprendieron
con el alba, Duero arriba.
　La estrella de la mañana
en el alto azul ardía.
Se iba tiñendo de rosa
la espesa y blanca neblina
de los valles y barrancos,
y algunas nubes plomizas
a Urbión, donde el Duero nace.
como un turbante ponían.
　Se acercaban a la fuente
El agua clara corría,
sonando cual si contara
una vieja historia, dicha
mil veces y que tuviera
mil veces que repetirla.
　Agua que corre en el campo
dice en su monotonía:
Yo sé el crimen, ¿no es un crimen,
cerca del agua, la vida?
　Al pasar los dos hermanos
relataba el agua limpia:
"A la vera de la fuente
Alvargonzález dormía."

II

　—Anoche, cuando volvía
a casa —Juan a su hermano

dijo—, a la luz de la luna
era la huerta un milagro.
    Lejos, entre los rosales,
divisé un hombre inclinado
hacia la tierra; brillaba
una hoz de plata en su mano.
    Después irguióse y, volviendo
el rostro, dio algunos pasos
por el huerto, sin mirarme,
y a poco lo vi encorvado
otra vez sobre la tierra.
Tenía el cabello blanco.
La luna llena brillaba,
y era la huerta un milagro.

III

    Pasado habían el puerto
de Santa Inés, ya mediada
la tarde, una tarde triste
de noviembre, fría y parda.
Hacia la Laguna Negra
silenciosos caminaban.

IV

    Cuando la tarde caía,
entre las vetustas hayas,
y los pinos centenarios,
un rojo sol se filtraba.
    Era un paraje de bosque
y peñas aborrascadas;
aquí bocas que bostezan
o monstruos de fieras garras;
allí una informe joroba,
allá una grotesca panza,
torvos hocicos de fieras
y dentaduras melladas,
rocas y rocas, y troncos
y troncos, ramas y ramas.
En el hondón del barranco
la noche, el miedo y el agua.

V

Un lobo surgió, sus ojos
lucían como dos ascuas.
Era la noche, una noche
húmeda, oscura y cerrada.
   Los dos hermanos quisieron
volver. La selva ululaba.
Cien ojos fieros ardían
en la selva, a sus espaldas.

VI

Llegaron los asesinos
hasta la Laguna Negra,
agua transparente y muda
que enorme muro de piedra,
donde los buitres anidan
y el eco duerme, rodea;
agua clara donde beben
las águilas de la sierra,
donde el jabalí del monte
y el ciervo y el corzo abrevan;
agua pura y silenciosa
que copia cosas eternas;
agua impasible que guarda
en su seno las estrellas.
¡Padre!, gritaron; al fondo
de la laguna serena
cayeron, y el eco ¡padre!
repitió de peña en peña.

CXV

A UN OLMO SECO

Al olmo viejo, hendido por el rayo
y en su mitad podrido,
con las lluvias de abril y el sol de mayo,
algunas hojas verdes le han salido.
   ¡El olmo centenario en la colina
que lame el Duero! Un musgo amarillento

le mancha la corteza blanquecina
al tronco carcomido y polvoriento.
    No será, cual los álamos cantores
que guardan el camino y la ribera,
habitado de pardos ruiseñores.
    Ejército de hormigas en hilera
va trepando por él, y en sus entrañas
urden sus telas grises las arañas.
    Antes que te derribe, olmo del Duero,
con su hacha el leñador, y el carpintero
te convierta en melena de campana,
lanza de carro o yugo de carreta;
antes que rojo en el hogar, mañana,
ardas de alguna mísera caseta,
al borde de un camino;
antes que te descuaje un torbellino
y tronche el soplo de las sierras blancas;
antes que el río hasta la mar te empuje
por valles y barrancas,
olmo, quiero anotar en mi cartera
la gracia de tu rama verdecida.
Mi corazón espera
también, hacia la luz y hacia la vida,
otro milagro de la primavera.

                                        Soria, 1912.

CXVI

RECUERDOS

    Oh Soria, cuando miro los frescos naranjales
cargados de perfume, y el campo enverdecido,
abiertos los jazmines, maduros los trigales,
azules las montañas y el olivar florido;
Guadalquivir corriendo al mar entre vergeles;
y al sol de abril los huertos colmados de azucenas,
y los enjambres de oro, para libar sus mieles
dispersos en los campos, huir de sus colmenas;
yo sé la encina roja crujiendo en tus hogares,
barriendo el cierzo helado tu campo emperdernido;

y en sierras agrias sueño —¡Urbión, sobre pinares!
¡Moncayo blanco, al cielo aragonés, erguido!—
Y pienso: Primavera, como un escalofrío
irá a cruzar el alto solar del romancero,
ya verdearán de chopos las márgenes del río.
¿Dará sus verdes hojas el olmo aquel del Duero?
Tendrán los campanarios de Soria sus cigüeñas,
y la roqueda parda más de un zarzal en flor;
ya los rebaños blancos, por entre grises peñas,
hacia los altos prados conducirá el pastor.
  ¡Oh, en el azul, vosotras, viajeras golondrinas
que vais al joven Duero, rebaños de merinos[1],
con rumbo hacia las altas praderas numantinas,
por las cañadas hondas y al sol de los caminos[2];
hayedos y pinares que cruza el ágil ciervo,
montañas, serrijones, lomazos, parameras,
en donde reina el águila, por donde buscara el cuervo
su infecto expoliario; menudas sementeras
cual sayos cenicientos, casetas y majadas
entre desnuda roca, arroyos y hontanares
donde a la tarde beben las yuntas fatigadas,
dispersos huertecillos, humildes abejares!...
  ¡Adiós, tierra de Soria; adiós el alto llano
cercado de colinas y crestas militares
alcores y roquedas del yermo castellano,
fantasmas de robledos y sombras de encinares!
  En la desesperanza y en la melancolía
de tu recuerdo, Soria, mi corazón se abreva.
Tierra de alma, toda, hacia la tierra mía,
por los floridos valles, mi corazón te lleva.

En el tren, abril de 1912[3].

[1] En *Poesías completas*, 1.ª edic.:
       que vais al joven Duero, zagales y merinos...
[2] En *Poesías completas*, 1.ª edic.:
       por mestas y cañadas, veredas y caminos...
[3] En *Poesías completas*, 1.ª edic., la fecha es: Abril, 1913.

CXVII

AL MAESTRO "AZORÍN" POR SU LIBRO "CASTILLA"

La venta de Cidones está en la carretera
que va de Soria a Burgos. Leonarda, la ventera,
que llaman la Ruipérez, es una viejecita
que aviva el fuego donde borbolla la marmita.
Ruipérez, el ventero, un viejo diminuto
—bajo las cejas grises, dos ojos de hombre astuto—,
contempla silencioso la lumbre del hogar.
Se oye la marmita al fuego borbollar.
Sentado ante una mèsa de pino, un caballero
escribe. Cuando moja la pluma en el tintero,
dos ojos tristes lucen en un semblante enjuto.
El caballero es joven, vestido va de luto.
El viento frío azota los chopos del camino.
Se ve pasar de polvo un blanco remolino.
La tarde se va haciendo sombría. El enlutado,
la mano en la mejilla, medita ensimismado.
Cuando el correo llegue, que el caballero aguarda,
la tarde habrá caído sobre la tierra parda
de Soria. Todavía los grises serrijones,
con ruina de encinares y mellas de aluviones,
las lomas azuladas, las agrias barranqueras,
picotas y colinas, ribazos y laderas
del páramo sombrío por donde cruza el Duero,
darán al sol de ocaso su resplandor de acero.
La venta se oscurece. El rojo lar humea.
La mecha de un mohoso candil arde y chispea.
El enlutado tiene clavados en el fuego
los ojos largo rato; se los enjuga luego
con un pañuelo blanco. ¿Por qué le hará llorar
el son de la marmita, el ascua del hogar?
Cerró la noche. Lejos se escucha el traqueteo
y el galopar de un coche que avanza. Es el correo.

CXVIII

CAMINOS

De la ciudad moruna
tras las murallas viejas,
yo contemplo la tarde silenciosa,
a solas con mi sombra y con mi pena.
  El río va corriendo,
entre sombrías huertas
y grises olivares,
por los alegres campos de Baeza.
  Tienen las vides pámpanos dorados
sobre las rojas cepas.
Guadalquivir, como un alfanje roto
y disperso, reluce y espejea.
  Lejos, los montes duermen
envueltos en la niebla,
niebla de otoño, maternal; descansan
las rudas moles de su ser de piedra
en esta tibia tarde de noviembre,
tarde piadosa, cárdena y violeta.
  El viento ha sacudido
los mustios olmos de la carretera,
levantando en rosados torbellinos
el polvo de la tierra.
La luna está subiendo
amoratada, jadeante y llena.
  Los caminitos blancos
se cruzan y se alejan,
buscando los dispersos caseríos
del valle y de la sierra.
Caminos de los campos...
¡Ay, ya no puedo caminar con ella!

CXIX

Señor, ya me arrancaste lo que yo más quería.
Oye otra vez, Dios mío, mi corazón clamar.
Tu voluntad se hizo, Señor, contra la mía.
Señor, ya estamos solos mi corazón y el mar.

CXX

Dice la esperanza: un día
la verás, si bien esperas.
Dice la desesperanza:
sólo tu amargura es ella.
Late, corazón ... No todo
se lo ha tragado la tierra.

CXXI

Allá, en las tierras altas,
por donde traza el Duero
su curva de ballesta
en torno a Soria, entre plomizos cerros
y manchas de raídos encinares,
mi corazón está vagando, en sueños ...
¿No ves. Leonor, los álamos del río
con sus ramajes yertos?
Mira el Moncayo azul y blanco; dame
tu mano y paseemos.
Por estos campos de la tierra mía,
bordados de olivares polvorientos,
voy caminando solo,
triste, cansado, pensativo y viejo.

CXXII

Soñé que tú me llevabas
por una blanca vereda,
en medio del campo verde,
hacia el azul de las sierras,
hacia los montes azules,
una mañana serena.
Sentí tu mano en la mía,
tu mano de compañera,
tu voz de niña en mi oído
como una campana nueva,
como una campana virgen
de un alba de primavera.

¡Eran tu voz y tu mano,
en sueños, tan verdaderas!...
Vive, esperanza, ¡quién sabe
lo que se traga la tierra!

CXXIII

Una noche de verano
—estaba abierto el balcón
y la puerta de mi casa—
la muerte en mi casa entró.
Se fue acercando a su lecho
—ni siquiera me miró—,
con unos dedos muy finos,
algo muy tenue rompió.
Silenciosa y sin mirarme,
la muerte otra vez pasó
delante de mí. ¿Qué has hecho?
La muerte no respondió.
Mi niña quedó tranquila,
dolido mi corazón.
¡Ay, lo que la muerte ha roto
era un hilo entre los dos!

CXXIV

Al borrarse la nieve, se alejaron
los montes de la sierra.
La vega ha verdecido
al sol de abril, la vega
tiene la verde llama,
la vida, que no pesa;
y piensa el alma en una mariposa,
atlas del mundo, y sueña.
Con el ciruelo en flor y el campo verde,
con el glauco vapor de la ribera,
en torno de las ramas,
con las primeras zarzas que blanquean,
con este dulce soplo
que triunfa de la muerte y de la piedra,

esta amargura que me ahoga fluye
en esperanza de Ella...

CXXV

En estos campos de la tierra mía,
y extranjero en los campos de mi tierra
—yo tuve patria donde corre el Duero
por entre grises peñas,
y fantasmas de viejos encinares,
allá en Castilla, mística y guerrera,
Castilla la gentil, humilde y brava,
Castilla del desdén y de la fuerza—,
en estos campos de mi Andalucía,
¡oh tierra en que nací!, cantar quisiera.
Tengo recuerdos de mi infancia, tengo
imágenes de luz y de palmeras,
y en una gloria de oro,
de lueñes campanarios con cigüeñas,
de ciudades con calles sin mujeres
bajo un cielo de añil, plazas desiertas
donde crecen naranjos encendidos
con sus frutas redondas y bermejas;
y en un huerto sombrío, el limonero
de ramas polvorientas
y pálidos limones amarillos,
que el agua clara de la fuente espeja,
un aroma de nardos y claveles
y un fuerte olor de albahaca y hierbabuena,
imágenes de grises olivares
bajo un tórrido sol que aturde y ciega,
y azules y dispersas serranías
con arreboles de una tarde inmensa;
mas falta el hilo que el recuerdo anuda
al corazón, el ancla en su ribera,
o estas memorias no son alma. Tienen,
en sus abigarradas vestimentas,
señal de ser despojos del recuerdo,
la carga bruta que el recuerdo lleva.
Un día tornarán, con luz del fondo ungidos,
los cuerpos virginales a la orilla vieja.

Lora del Río, 4 de abril de 1913.

CXXVI

A JOSÉ MARÍA PALACIO

Palacio, buen amigo,
¿está la primavera
vistiendo ya las ramas de los chopos
del río y los caminos? En la estepa
del alto Duero, primavera tarda,
¡pero es tan bella y dulce cuando llega!...
¿Tienen los viejos olmos
algunas hojas nuevas?
Aún las acacias estarán desnudas
y nevados los montes de las sierras.
¡Oh mole del Moncayo blanca y rosa,
allá, en el cielo de Aragón, tan bella!
¿Hay zarzas florecidas
entre las grises peñas,
y blancas margaritas
entre la fina hierba?
Por esos campanarios
ya habrán ido llegando las cigüeñas.
Habrá trigales verdes,
y mulas pardas en las sementeras,
y labriegos que siembran los tardíos
con las lluvias de abril. Ya las abejas
libarán del tomillo y el romero.
¿Hay ciruelos en flor? ¿Quedan violetas?
Furtivos cazadores, los reclamos
de la perdiz bajo las capas luengas,
no faltarán. Palacio, buen amigo,
¿tienen ya ruiseñores las riberas?
Con los primeros lirios
y las primeras rosas de las huertas,
en una tarde azul, sube al Espino,
al alto Espino donde está su tierra...

Baeza, 29 de abril de 1913 [1].

---

[1] En *Poesías completas*, 1.ª edic., marzo.

CXXVII

OTRO VIAJE

Ya en los campos de Jaén,
amanece. Corre el tren
por sus brillantes rieles,
devorando matorrales,
alcaceles,
terraplenes, pedregales,
olivares, caseríos,
praderas y cardizales,
montes y valles sombríos.
Tras la turba ventanilla,
pasa la devanadera
del campo de primavera.
La luz en el techo brilla
de mi vagón de tercera.
Entre nubarrones blancos,
oro y grana[1];
la niebla de la mañana
huyendo por los barrancos.
¡Este insomne sueño mío!
¡Este frío
de un amanecer en vela!...
Resonante,
jadeante,
marcha el tren. El campo vuela.
Enfrente de mí, un señor
sobre su manta dormido;
un fraile y un cazador
—el perro a sus pies tendido—.
Yo contemplo mi equipaje,
mi viejo saco de cuero;
y recuerdo otro viaje
hacia las tierras del Duero.
Otro viaje de ayer
por la tierra castellana

---

[1] En *Poesías completas*, 1.ª edic., punto en vez de punto y coma. Este poema se titulaba "Viaje" en *Páginas escogidas* y estaba dedicado "A D. Julio Cejador".

—¡pinos del amanecer
entre Almazán y Quintana!—
¡Y alegría
de un viajar en compañía!
¡Y la unión
que ha roto la muerte un día!
¡Mano fría
que aprietas mi corazón!
Tren, camina, silba, humea,
acarrea
tu ejército de vagones,
ajetrea
maletas y corazones.
Soledad,
sequedad.
Tan pobre me estoy quedando
que ya ni siquiera estoy
conmigo, ni sé si voy
conmigo a solas viajando.

CXXVII bis

ADIÓS

PRIMERA VERSIÓN

Y nunca más la tierra de ceniza
he de volver a ver, que *el* Duero abraza.
¡Oh, loma de Santana, ancha y maciza;
placeta del Mirón; desierta plaza
  con el sol de la tarde en mis balcones,
nunca os veré! No me pidáis presencia;
las almas huyen para dar canciones:
alma es distancia y horizonte: ausencia.
  Mas quien escuche el agria melodía
con que divierto el corazón viajero
por estos campos *de la tierra mía*,
  ya sabe manantial, cauce y reguero
del agua *clara* de *mi huerta umbría*.
No todas vais al mar, aguas del Duero.

Escrito en Baeza, 1915.

SEGUNDA VERSIÓN

Y nunca más la tierra de ceniza
a pisar volveré, que Duero abraza.
¡Oh, loma de Santana, ancha y maciza;
placeta del Mirón; desierta plaza,
　con el sol de la tarde en mis balcones
nunca os veré! No me pidáis presencia;
las almas huyen para dar canciones:
alma es distancia y horizonte: ausencia.
　Mas quien escuche el agria melodía
con que divierto el corazón viajero
por estos campos *de mi Andalucía*,
　ya sabe manantial, cauce y reguero
del agua *santa de la huerta mía*.
¡No todas vais al mar, aguas del Duero!

Córdoba, 1919. Copiado en 1924. En cursiva las variantes. Este soneto
fue publicado en *Índice*, núm. 78, marzo de 1955, Madrid.

CXXVIII

POEMA DE UN DÍA

MEDITACIONES RURALES

Heme aquí ya, profesor
de lenguas vivas (ayer
maestro de gay-saber,
aprendiz de ruiseñor),
en un pueblo húmedo y frío,
destartalado y sombrío,
entre andaluz y manchego.
Invierno. Cerca del fuego.
Fuera llueve un agua fina,
que ora se trueca en neblina,
ora se torna aguanieve.
Fantástico labrador,
pienso en los campos. ¡Señor
qué bien haces! Llueve, llueve
tu agua constante y menuda

sobre alcaceles y habares,
tu agua muda,
en viñedos y olivares.
Te bendecirán conmigo
los sembradores del trigo;
los que viven de coger
la aceituna;
los que esperan la fortuna
de comer;
los que hogaño,
como antaño,
tienen toda su moneda
en la rueda,
traidora rueda del año.
¡Llueve, llueve; tu neblina
que se torne en aguanieve,
y otra vez en agua fina!
¡Llueve, Señor, llueve, llueve!
　　En mi estancia, iluminada
por esta luz invernal
—la tarde gris tamizada
por la lluvia y el cristal—,
sueño y medito.
　　　　　　　　Clarea
el reloj arrinconado,
y su tic-tic, olvidado
por repetido, golpea.
Tic-tic, tic-tic... Ya te he oído.
Tic-tic, tic-tic... Siempre igual,
monótono y aburrido.
Tic-tic, tic-tic, el latido
de un corazón de metal.
En estos pueblos, ¿se escucha
el latir del tiempo? No.
En estos pueblos se lucha
sin tregua con el reló,
con esa monotonía
que mide un tiempo vacío.
Pero ¿tu hora es la mía?
¿Tu tiempo, reloj, el mío?
(Tic-tic, tic-tic...) Era un día
(Tic-tic, tic-tic) que pasó,

y lo que yo más quería
la muerte se lo llevó.
  Lejos suena un clamoreo
de campanas ...
Arrecia el repiqueteo
de la lluvia en las ventanas.
Fantástico labrador,
vuelvo a mis campos. ¡Señor,
cuánto te bendecirán
los sembradores del pan!
Señor, ¿no es tu lluvia ley,
en los campos que ara el buey,
y en los palacios del rey?
¡Oh, agua buena, deja vida
en tu huida!
¡Oh, tú, que vas gota a gota,
fuente a fuente y río a río,
como este tiempo de hastío
corriendo a la mar remota,
con cuanto quiere nacer,
cuanto espera
florecer
al sol de la primavera,
sé piadosa,
que mañana
serás espiga temprana,
prado verde, carne rosa,
y más: razón y locura
y amargura
de querer y no poder
creer, creer y creer!
  Anochece;
el hilo de la bombilla
se enrojece,
luego brilla,
resplandece
poco más que una cerilla.
Dios sabe dónde andarán
mis gafas ... entre librotes,
revistas y papelotes,
¿quién las encuentra? ... Aquí están.
Libros nuevos. Abro uno

de Unamuno.
¡Oh, el dilecto,
predilecto
de esta España que se agita,
porque nace o resucita!
Siempre te ha sido, ¡oh rector
de Salamanca!, leal
este humilde profesor
de un instituto rural.
Esa tu filosofía
que llamas diletantesca,
voltaria y funambulesca,
gran don Miguel, es la mía.
Agua del buen manantial,
siempre viva,
fugitiva;
poesía, cosa cordial.
¿Constructora?
—No hay cimiento
ni en el alma ni en el viento—.
Bogadora,
marinera,
hacia la mar sin ribera.
Enrique Bergson: *Los datos*
inmediatos
de la conciencia. ¿Esto es
otro embeleco francés?
Este Bergson es un tuno;
¿verdad, maestro Unamuno?
Bergson no da como aquel
Immanuel
el volatín inmortal;
este endiablado judío
ha hallado el libre albedrío
dentro de su mechinal.
No está mal;
cada sabio, su problema,
y cada loco, su tema.
Algo importa [1]

---

[1] En *Poesías completas,* 1.ª edic.:
　　　　　　Mucho importa...

que en la vida mala y corta
que llevamos
libres o siervos seamos;
mas, si vamos
a la mar,
lo mismo nos han de dar.
¡Oh, estos pueblos! Reflexiones,
lecturas y acotaciones
pronto dan en lo que son:
bostezos de Salomón.
¿Todo es
soledad de soledades,
vanidad de vanidades,
que dijo el Eclesiastés?
Mi paraguas, mi sombrero,
mi gabán ... El aguacero
amaina ... Vámonos, pues.
    Es de noche. Se platica
al fondo de una botica.
—Yo no sé,
don José,
cómo son los liberales
tan perros, tan inmorales.
—¡Oh, tranquilícese usté!
Pasados los carnavales,
vendrán los conservadores,
buenos administradores
de su casa.
Todo llega y todo pasa.
Nada eterno:
ni gobierno
que perdure,
ni mal que cien años dure.
—Tras estos tiempos vendrán
otros tiempos y otros y otros,
y lo mismo que nosotros
otros se jorobarán.
Así es la vida, don Juan.
—Es verdad, así es la vida.
—La cebada está crecida.
—Con estas lluvias ...
                              Y van

las habas que es un primor.
—Cierto; para marzo, en flor.
Pero la escarcha, los hielos...
—Y, además, los olivares
están pidiendo a los cielos
agua a torrentes.
                              —A mares.
¡Las fatigas, los sudores
que pasan los labradores!
En otro tiempo...
                              Llovía
también cuando Dios quería.
—Hasta mañana, señores.
  Tic-tic, tic-tic... Ya pasó
un día como otro día,
dice la monotonía
del reló.
  Sobre mi mesa *Los datos
de la conciencia*, inmediatos.
No está mal
este yo fundamental,
contingente y libre, a ratos,
creativo, original;
este yo que vive y siente
dentro la carne mortal
¡ay! por saltar impaciente
las bardas de su corral.

Baeza, 1913.

CXXIX

NOVIEMBRE 1913[1]

  Un año más. El sembrador va echando
la semilla en los surcos de la tierra.
Dos lentas yuntas aran,
mientras pasan las nubes cenicientas
ensombreciendo el campo,
las pardas sementeras.

---

[1] En *Poesías completas*, 1.ª edic., 1914.

los grises olivares. Por el fondo
del valle el río el agua turbia lleva.
Tiene Cazorla nieve,
y Mágina, tormenta,
su montera, Aznaitín. Hacia Granada,
montes con sol, montes de sol y piedra.

CXXX

LA SAETA

> ¿Quién me presta una escalera,
> para subir al madero,
> para quitarle los clavos
> a Jesús el Nazareno?
> Saeta Popular.

  ¡Oh, la saeta, el cantar
al Cristo de los gitanos,
siempre con sangre en las manos,
siempre por desenclavar!
¡Cantar del pueblo andaluz,
que todas las primaveras
anda pidiendo escaleras
para subir a la cruz!
¡Cantar de la tierra mía,
que echa flores
al Jesús de la agonía,
y es la fe de mis mayores!
¡Oh, no eres tú mi cantar!
¡No puedo cantar, ni quiero
a ese Jesús del madero,
sino al que anduvo en el mar!

CXXXI

DEL PASADO EFÍMERO

  Este hombre del casino provinciano
que vio a Carancha recibir un día,
tiene mustia la tez, el pelo cano,

ojos velados por melancolía;
bajo el bigote gris, labios de hastío,
y una triste expresión, que no es tristeza,
sino algo más y menos: el vacío
del mundo en la oquedad de su cabeza.
Aún luce de corinto terciopelo
chaqueta y pantalón abotinado,
y un cordobés color de caramelo,
pulido y torneado.
Tres veces heredó; tres ha perdido
al monte su caudal; dos ha enviudado.
Sólo se anima ante el azar prohibido,
sobre el verde tapete reclinado,
o al evocar la tarde de un torero,
la suerte de un tahúr, o si alguien cuenta
la hazaña de un gallardo bandolero,
o la proeza de un matón, sangrienta.
Bosteza de política banales
dicterios al gobierno reaccionario,
y augura que vendrán los liberales,
cual torna la cigüeña al campanario.
Un poco labrador, del cielo aguarda
y al cielo teme; alguna vez suspira,
pensando en su olivar, y al cielo mira
con ojo inquieto, si la lluvia tarda.
Lo demás, taciturno, hipocondriaco,
prisionero en la Arcadia del presente,
le aburre; sólo el humo del tabaco
simula algunas sombras en su frente.
Este hombre no es de ayer ni es de mañana,
sino de nunca; de la cepa hispana
no es el fruto maduro ni podrido,
es una fruta vana
de aquella España que pasó y no ha sido,
esa que hoy tiene la cabeza cana.

CXXXII

LOS OLIVOS

A Manolo Ayuso[1].

I

¡Viejos olivos sedientos
bajo el claro sol del día,
olivares polvorientos
del campo de Andalucía!
¡El campo andaluz, peinado
por el sol canicular,
de loma en loma rayado
de olivar y de olivar!
Son las tierras
soleadas,
anchas lomas, lueñes sierras
de olivares recamadas.
Mil senderos. Con sus machos,
abrumados de capachos,
van gañanes y arrieros.
¡De la venta del camino
a la puerta, soplan vino
trabucaires bandoleros!
¡Olivares y olivares
de loma en loma prendidos
cual bordados alamares!
¡Olivares coloridos
de una tarde anaranjada;
olivares rebruñidos
bajo la luna argentada!
¡Olivares centellados
en las tardes cenicientas,
bajo los cielos preñados
de tormentas! ...
Olivares, Dios os dé
los eneros
de aguaceros,
los agostos de agua al pie,

_____
[1] En *Poesías completas*, 1.ª edic.: "A Manuel Ayuso".

los vientos primaverales,
vuestras flores racimadas;
y las lluvias otoñales
vuestras olivas moradas.
Olivar, por cien caminos,
tus olivitas irán
caminando a cien molinos.
Ya darán
trabajo en las alquerías
a gañanes y braceros,
¡oh buenas frentes sombrías
bajo los anchos sombreros!...
¡Olivar y olivareros,
bosque y raza,
campo y plaza
de los fieles al terruño
y al arado y al molino,
de los que muestran el puño
al destino,
los benditos labradores,
los bandidos caballeros,
los señores
devotos y matuteros!...
¡Ciudades y caseríos
en la margen de los ríos,
en los pliegues de la sierra!...
¡Venga Dios a los hogares
y a las almas de esta tierra
de olivares y olivares!

II

A dos leguas de Úbeda, la Torre
de Pero Gil, bajo este sol de fuego,
triste burgo de España. El coche rueda
entre grises olivos polvorientos.
Allá, el castillo heroico.
En la plaza, mendigos y chicuelos:
una orgía de harapos...
Pasamos frente al atrio del convento
de la Misericordia.
¡Los blancos muros, los cipreses negros!

¡Agria melancolía
como asperón de hierro
que raspa el corazón! ¡Amurallada
piedad, erguida en este basurero! ...
Esta casa de Dios, decid hermanos,
esta casa de Dios, ¿qué guarda dentro?
Y ese pálido joven,
asombrado y atento,
que parece mirarnos con la boca,
será el loco del pueblo,
de quien se dice: es Lucas,
Blas o Ginés, el tonto que tenemos.
Seguimos. Olivares. Los olivos
están en flor. El carricoche lento,
al paso de dos pencos matalones,
camina hacia Peal. Campos ubérrimos.
La tierra da lo suyo; el sol trabaja;
el hombre es para el suelo:
genera, siembra y labra
y su fatiga unce la tierra al cielo.
Nosotros enturbiamos
la fuente de la vida, el sol primero,
con nuestros ojos tristes,
con nuestro amargo rezo,
con nuestra mano ociosa,
con nuestro pensamiento
—se engendra en el pecado,
se vive en el dolor. ¡Dios está lejos!—.
Esta piedad erguida
sobre este burgo sórdido, sobre este basurero,
esta casa de Dios, decid, oh santos
cañones de von Kluck, ¿qué guarda dentro?

CXXXIII

LLANTO DE LAS VIRTUDES Y COPLAS
POR LA MUERTE DE DON GUIDO

Al fin, una pulmonía
mató a don Guido, y están
las campanas todo el día
doblando por él: ¡din-dán!

Murió don Guido, un señor
de mozo muy jaranero,
muy galán y algo torero;
de viejo, gran rezador.

Dicen que tuvo un serrallo
este señor de Sevilla;
que era diestro
en manejar el caballo,
y un maestro
en refrescar manzanilla.

Cuando mermó su riqueza,
era su monomanía
pensar que pensar debía
en asentar la cabeza.

Y asentóla
de una manera española,
que fue casarse con una
doncella de gran fortuna;
y repintar sus blasones,
hablar de las tradiciones
de su casa,
a escándalos y amoríos
poner tasa,
sordina a sus desvaríos.

Gran pagano,
se hizo hermano
de una santa cofradía;
el Jueves Santo salía,
llevando un cirio en la mano
—¡aquel trueno!—,
vestido de nazareno.
Hoy nos dice la campana
que han de llevarse mañana
al buen don Guido, muy serio,
camino del cementerio.

Buen don Guido, ya eres ido
y para siempre jamás...
Alguien dirá: ¿Qué dejaste?
Yo pregunto: ¿Qué llevaste
al mundo donde hoy estás?

¿Tu amor a los alamares
y a las sedas y a los oros,

y a la sangre de los toros
y al humo de los altares?
   Buen don Guido y equipaje,
¡buen viaje! ...
   El acá
y el allá,
caballero,
se ve en tu rostro marchito,
lo infinito:
cero, cero.
   ¡Oh las enjutas mejillas,
amarillas,
y los párpados de cera,
y la fina calavera
en la almohada del lecho!
   ¡Oh fin de una aristocracia!
La barba canosa y lacia
sobre el pecho;
metido en tosco sayal,
las yertas manos en cruz,
¡tan formal!
el caballero andaluz.

CXXXIV

LA MUJER MANCHEGA

   La Mancha y sus mujeres ... Argamasilla, Infantes
Esquivias, Valdepeñas. La novia de Cervantes,
y del manchego heroico, el ama y la sobrina
(el patio, la alacena, la cueva y la cocina,
la rueca y la costura, la cuna y la pitanza),
la esposa de don Diego y la madre de Panza,
la hija del ventero, y tantas como están
bajo la tierra, y tantas que son y que serán
encanto de manchegos y madres de españoles
por tierras de lagares, molinos y arreboles.
   Es la mujer manchega garrida y bien plantada,
muy sobre sí doncella, perfecta de casada.
   El sol de la caliente llanura vinariega
quemó su piel, mas guarda frescura de bodega

su corazón. Devota, sabe rezar con fe
para que Dios nos libre de cuanto no se ve.
Su obra es la casa —menos celada que en Sevilla,
más gineceo y menos castillo que en Castilla—.
Y es del hogar manchego la musa ordenadora;
alinea los vasares, los lienzos alcanfora;
las cuentas de la plaza anota en su diario,
cuenta garbanzos, cuenta las cuentas del rosario.
    ¿Hay más? Por estos campos hubo un amor de fuego,
dos ojos abrasaron un corazón manchego.
    ¿No tuvo en esta Mancha su cuna Dulcinea?
¿No es el Toboso patria de la mujer idea
del corazón, engendro e imán de corazones,
a quien varón no impregna y aun parirá varones?
    Por esta Mancha —prados, viñedos y molinos—
que so el igual del cielo iguala sus caminos,
de cepas arrugadas en el tostado suelo
y mustios pastos como raído terciopelo;
por este seco llano de sol y lejanía,
en donde el ojo alcanza su pleno mediodía
(un diminuto bando de pájaros puntea
el índigo del cielo sobre la blanca aldea,
y allá se yergue un soto de verdes alamillos,
tras leguas y más leguas de campos amarillos),
por esta tierra, lejos del mar y la montaña,
el ancho reverbero del claro sol de España,
anduvo un pobre hidalgo ciego de amor un día
—amor nublóle el juicio: su corazón veía—.
    Y tú, la cerca y lejos, por el inmenso llano
eterna compañera y estrella de Quijano,
lozana labradora fincada en tus terrones
—oh madre de manchegos y numen de visiones—,
viviste, buena Aldonza, tu vida verdadera,
cuando tu amante erguía su lanza justiciera,
y en tu casona blanca aechando el rubio trigo.
Aquel amor de fuego era por ti y contigo.
    Mujeres de la Mancha con el sagrado mote
de Dulcinea, os salve la gloria de Quijote.

CXXXV

EL MAÑANA EFÍMERO

A Roberto Castrovido.

La España de charanga y pandereta,
cerrado y sacristía,
devota de Frascuelo y de María,
de espíritu burlón y de alma quieta,
ha de tener su mármol y su día,
su infalible mañana y su poeta.
El vano ayer engendrará un mañaı
vacío y ¡por ventura! pasajero.
Será un joven lechuzo y tarambana,
un sayón con hechuras de bolero,
a la moda de Francia realista [1],
un poco al uso de París pagano,
y al estilo de España especialista
en el vicio al alcance de la mano.
Esa España inferior que ora y bosteza,
vieja y tahúr, zaragatera y triste;
esa España inferior que ora y embiste,
cuando se digna usar de la cabeza,
aún tendrá luengo parto de varones
amantes de sagradas tradiciones
y de sagradas formas y maneras;
florecerán las barbas apostólicas,
y otras calvas en otras calaveras
brillarán, venerables y católicas.
El vano ayer engendrará un mañana
vacío y ¡por ventura! pasajero,
la sombra de un lechuzo tarambana,
de un sayón con hechuras de bolero;
el vacuo ayer dará un mañana huero.
Como la náusea de un borracho ahíto
de vino malo, un rojo sol corona
de heces turbias las cumbres de granito;

---

[1] En *Poesías completas*, 1.ª edic.:
            a la moda de Francia royalista...

hay un mañana estomagante escrito
en la tarde pragmática y dulzona.
Mas otra España nace,
la España del cincel y de la maza,
con esa eterna juventud que se hace
del pasado macizo de la raza.
Una España implacable y redentora,
España que alborea
con un hacha en la mano vengadora,
España de la rabia y de la idea.

1913.

CXXXVI

PROVERBIOS Y CANTARES

I

Nunca perseguí la gloria
ni dejar en la memoria
de los hombres mi canción;
yo amo los mundos sutiles,
ingrávidos y gentiles
como pompas de jabón.
Me gusta verlos pintarse
de sol y grana, volar
bajo el cielo azul, temblar
súbitamente y quebrarse.

II

¿Para qué llamar caminos
a los surcos del azar?...
Todo el que camina anda,
como Jesús, sobre el mar.

III

A quien nos justifica nuestra desconfianza
llamamos enemigo, ladrón de una esperanza.
Jamás perdona el necio si ve la nuez vacía
que dio a cascar al diente de la sabiduría.

IV

Nuestras horas son minutos
cuando esperamos saber,
y siglos cuando sabemos
lo que se puede aprender.

V

Ni vale nada el fruto
cogido sin sazón ...
Ni aunque te elogie un bruto
ha de tener razón.

VI

De lo que llaman los hombres
virtud, justicia y bondad,
una mitad es envidia,
y la otra no es caridad.

VII

Yo he visto garras fieras en las pulidas manos;
conozco grajos mélicos y líricos marranos ...
El más truhán se lleva la mano al corazón,
y el bruto más espeso se carga de razon.

VIII

En preguntar lo que sabes
el tiempo no has de perder ...
Y a preguntas sin respuesta
¿quién te podrá responder?

IX

El hombre, a quien el hambre de la rapiña acucia,
de ingénita malicia y natural astucia,
formó la inteligencia y acaparó la tierra.
¡Y aún la verdad proclama! ¡Supremo ardid de guerra!

X

La envidia de la virtud
hizo a Caín criminal.
¡Gloria a Caín! Hoy el vicio
es lo que se envidia más.

XI

La mano del piadoso nos quita siempre honor;
mas nunca ofende al darnos su mano el lidiador.
Virtud es fortaleza, ser bueno es ser valiente;
escudo, espada y maza llevar bajo la frente;
porque el valor honrado de todas armas viste:
no sólo para, hiere, y más que aguarda, embiste.
Que la piqueta arruine y el látigo flagele;
la fragua ablande el hierro, la lima pula y gaste,
y que el buril burile, y que el cincel cincele,
la espada punce y hienda y el gran martillo aplaste.

XII

¡Ojos que a la luz se abrieron
un día para, después,
ciegos tornar a la tierra,
hartos de mirar sin ver!

XIII

Es el mejor de los buenos
quien sabe que en esta vida
todo es cuestión de medida:
un poco más, algo menos...

XIV

Virtud es la alegría que alivia el corazón
más grave y desarruga el ceño de Catón.
El bueno es el que guarda, cual venta del camino,
para el sediento el agua, para el borracho el vino.

XV

Cantad conmigo en coro: Saber, nada sabemos,
de arcano mar vinimos, a ignota mar iremos...

Y entre los dos misterios está el enigma grave;
tres arcas cierra una desconocida llave.
La luz nada ilumina y el sabio nada enseña.
¿Qué dice la palabra? ¿Qué el agua de la peña?

XVI

El hombre es por natura la bestia paradójica,
un animal absurdo que necesita lógica.
Creó de nada un mundo y, su obra terminada,
"Ya estoy en el secreto —se dijo—, todo es nada."

XVII

El hombre sólo es rico en hipocresía.
En sus diez mil disfraces para engañar confía;
y con la doble llave que guarda su mansión
para la ajena hace ganzúa de ladrón.

XVIII

¡Ah, cuando yo era niño
soñaba con los héroes de la Ilíada!
Áyax era más fuerte que Diomedes.
Héctor, más fuerte que Áyax,
y Aquiles el más fuerte; porque era
el más fuerte ... ¡Inocencias de la infancia!
¡Ah, cuando yo era niño
soñaba con los héroes de la Ilíada!

XIX

El casca-nueces-vacías,
Colón de cien vanidades,
vive de supercherías
que vende como verdades.

XX

¡Teresa, alma de fuego,
Juan de la Cruz, espíritu de llama,
por aquí hay mucho frío, padres, nuestros
corazoncitos de Jesús se apagan!

XXI

Ayer soñé que veía
a Dios y que a Dios hablaba;
y soñé que Dios me oía...
Después soñé que soñaba.

XXII

Cosas de hombres y mujeres,
los amoríos de ayer,
casi los tengo olvidados,
si fueron alguna vez.

XXIII

No extrañéis, dulces amigos,
que esté mi frente arrugada[1];
yo vivo en paz con los hombres
y en guerra con mis entrañas.

XXIV

De diez cabezas, nueve
embisten y una piensa.
Nunca extrañéis que un bruto
se descuerne luchando por la idea.

XXV

Las abejas de las flores
sacan miel, y melodía
del amor, los ruiseñores;
Dante y yo —perdón, señores—,
trocamos —perdón, Lucía—,
el amor en Teología.

XXVI

Poned sobre los campos
un carbonero, un sabio y un poeta.

---

[1] En *Poesías completas*, 1.ª edic., este punto y coma es un punto.

Veréis cómo el poeta admira y calla,
el sabio mira y piensa...
Seguramente, el carbonero busca
las moras o las setas.
Llevadlos al teatro
y sólo el carbonero no bosteza.
Quien prefiere lo vivo a lo pintado
es el hombre que piensa, canta o sueña.
El carbonero tiene
llena de fantasías la cabeza.

XXVII

¿Dónde está la utilidad
de nuestras utilidades?
Volvamos a la verdad:
vanidad de vanidades.

XXVIII

Todo hombre tiene dos
batallas que pelear:
en sueños lucha con Dios;
y despierto, con el mar.

XXIX

Caminante, son tus huellas
el camino, y nada más;
caminante, no hay camino,
se hace camino al andar.
Al andar se hace camino,
y al volver la vista atrás
se ve la senda que nunca
se ha de volver a pisar.
Caminante, no hay camino,
sino estelas en la mar.

XXX

El que espera desespera,
dice la voz popular.
¡Qué verdad tan verdadera!

La verdad es lo que es,
y sigue siendo verdad
aunque se piense al revés.

XXXI

Corazón, ayer sonoro,
¿ya no suena
tu monedilla de oro?
Tu alcancía,
antes que el tiempo la rompa,
¿se irá quedando vacía?
Confiemos
en que no será verdad
nada de lo que sabemos.

XXXII

¡Oh fe del meditabundo!
¡Oh fe después del pensar!
Sólo si viene un corazón al mundo
rebosa el vaso humano y se hincha el mar.

XXXIII

Soñé a Dios como una fragua
de fuego, que ablanda el hierro,
como un forjador de espadas,
como un bruñidor de aceros,
que iba firmando en las hojas
de luz: Libertad. — Imperio.

XXXIV

Yo amo a Jesús, que nos dijo:
Cielo y tierra pasarán.
Cuando cielo y tierra pasen
mi palabra quedará.
¿Cuál fue, Jesús, tu palabra?
¿Amor? ¿Perdón? ¿Caridad?

Todas tus palabras fueron
una palabra: Velad[1].

XXXV

Hay dos modos de conciencia:
una es luz, y otra, paciencia.
Una estriba en alumbrar
un poquito el hondo mar;
otra, en hacer penitencia
con caña o red, y esperar
el pez, como pescador.
Dime tú: ¿Cuál es mejor?
¿Conciencia de visionario
que mira en el hondo acuario
peces vivos,
fugitivos,
que no se pueden pescar,
o esa maldita faena
de ir arrojando a la arena,
muertos, los peces del mar?

XXXVI

Fe empirista. Ni somos ni seremos.
Todo nuestro vivir es emprestado.
Nada trajimos; nada llevaremos.

XXXVII

¿Dices que nada se crea?
No te importe, con el barro
de la tierra, haz una copa
para que beba tu hermano.

---

[1] En *Poesías completas*, 1.ª edic., el poema sigue:
          Como no sabéis la hora
          en que os han de despertar,
          os despertarán dormidos,
          si no veláis: despertad.

XXXVIII

¿Dices que nada se crea?
Alfarero, a tus cacharros.
Haz tu copa y no te importe
si no puedes hacer barro.

XXXIX

Dicen que el ave divina,
trocada en pobre gallina,
por obra de las tijeras
de aquel sabio profesor
(fue Kant un esquilador
de las aves altaneras;
tóda su filosofía,
un *sport* de cetrería),
dicen que quiere saltar
las tapias del corralón,
y volar
otra vez, hacia Platón.
¡Hurra! ¡Sea!
¡Feliz será quien lo vea!

XL

Sí, cada uno y todos sobre la tierra iguales:
el ómnibus que arrastran dos pencos matalones,
por el camino, a tumbos, hacia las estaciones,
el ómnibus completo de viajeros banales,
y en medio un hombre mudo, hipocondriaco, austero,
a quien se cuentan cosas y a quien se ofrece vino...
Y allá, cuando se llegue, ¿descenderá un viajero
no más? ¿O habránse todos quedado en el camino?

XLI

Bueno es saber que los vasos
nos sirven para beber;
lo malo es que no sabemos
para qué sirve la sed.

XLII

¿Dices que nada se pierde?
Si esta copa de cristal
se me rompe, nunca en ella
beberé, nunca jamás.

XLIII

Dices que nada se pierde
y acaso dices verdad,
pero todo lo perdemos
y todo nos perderá.

XLIV

Todo pasa y todo queda,
pero lo nuestro es pasar,
pasar haciendo caminos,
caminos sobre la mar.

XLV

Morir... ¿Caer como gota
de mar en el mar inmenso?
¿O ser lo que nunca he sido:
uno, sin sombra y sin sueño,
un solitario que avanza
sin camino y sin espejo?

XLVI

Anoche soñé que oía
a Dios, gritándome: ¡Alerta!
Luego era Dios quien dormía,
y yo gritaba: ¡Despierta!

XLVII

Cuatro cosas tiene el hombre
que no sirven en la mar:
ancla, gobernalle y remos,
y miedo de naufragar.

XLVIII

Mirando mi calavera
un nuevo Hamlet dirá:
He aquí un lindo fósil de una
careta de carnaval.

XLIX

Ya noto, al paso que me torno viejo,
que en el inmenso espejo,
donde orgulloso me miraba un día,
era el azogue lo que yo ponía.
Al espejo del fondo de mi casa
una mano fatal
va rayendo el azogue, y todo pasa
por él como la luz por el cristal.

L

—Nuestro español bosteza.
¿Es hambre? ¿Sueño? ¿Hastío?
Doctor, ¿tendrá el estómago vacío?
—El vacío es más bien en la cabeza.

LI

Luz del alma, luz divina,
faro, antorcha, estrella, sol...
Un hombre a tientas camina;
lleva a la espalda un farol.

LII

Discutiendo están dos mozos
si a la fiesta del lugar
irán por la carretera
o campo traviesa irán.
Discutiendo y disputando
empiezan a pelear.
Ya con las trancas de pino
furiosos golpes se dan;
ya se tiran de las barbas,
ya se las quieren pelar.

Ha pasado un carretero,
que va cantando un cantar:
"Romero, para ir a Roma,
lo que importa es caminar;
a Roma por todas partes,
por todas partes se va."

LIII

Ya hay un español que quiere
vivir y a vivir empieza,
entre una España que muere
y otra España que bosteza.
Españolito que vienes
al mundo, te guarde Dios.
Una de las dos Españas
ha de helarte el corazón[1].

CXXXVII

PARÁBOLAS

I

Era un niño que soñaba
un caballo de cartón.
Abrió los ojos el niño
y el caballito no vio.
Con un caballito blanco
el niño volvió a soñar;
y por la crin lo cogía...
¡Ahora no te escaparás!
Apenas lo hubo cogido,
el niño se despertó.
Tenía el puño cerrado.
¡El caballito voló!

---

[1] En *Poesías completas*, 1.ª edic., con el núm. LII, que debe ser LIII,
porque el poema que va en onceavo lugar se confunde con el X, se lee:
En esta España de los pantalones
lleva la voz el macho;
mas si un negocio importa
lo resuelven las faldas a escobazos.

Quedóse el niño muy serio
pensando que no es verdad
un caballito soñado. ·
Y ya no volvió a soñar.
Pero el niño se hizo mozo
y el mozo tuvo un amor,
y a su amada le decía:
¿Tú eres de verdad o no?
Cuando el mozo se hizo viejo
pensaba: Todo es soñar,
el caballito soñado
y el caballo de verdad.
Y cuando vino la muerte,
el viejo a su corazón
preguntaba: ¿Tú eres sueño?
¡Quién sabe si despertó!

II

A D. Vicente Ciurana.

Sobre la limpia arena, en el tartesio llano
por donde acaba España y sigue el mar,
hay dos hombres que apoyan la cabeza en la mano;
uno duerme, y el otro parece meditar.
El uno, en la mañana de tibia primavera,
junto a la mar tranquila,
ha puesto entre sus ojos y el mar que reverbera,
los párpados, que borran el mar en la pupila.
Y se ha dormido, y sueña con el pastor Proteo,
que sabe los rebaños del marino guardar;
y sueña que le llaman las hijas de Nereo,
y ha oído a los caballos de Poseidón hablar.
El otro mira al agua. Su pensamiento flota;
hijo del mar, navega —o se pone a volar—.
Su pensamiento tiene un vuelo de gaviota,
que ha visto un pez de plata en el agua saltar.
Y piensa: "Es esta vida una ilusión marina
de un pescador que un día ya no puede pescar."
El soñador ha visto que el mar se le ilumina,
y sueña que es la muerte una ilusión del mar.

III

Érase de un marinero
que hizo un jardín junto al mar,
y se metió a jardinero.
Estaba el jardín en flor,
y el jardinero se fue
por esos mares de Dios.

IV

CONSEJOS

Sabe esperar, aguarda que la marea fluya
—así en la costa un barco— sin que al partir te inquiete.
Todo el que aguarda sabe que la victoria es suya;
porque la vida es larga y el arte es un juguete.
Y si la vida es corta
y no llega la mar a tu galera,
aguarda sin partir y siempre espera,
que el arte es largo y, además, no importa.

V

PROFESIÓN DE FE

Dios no es el mar, está en el mar, riela
como luna en el agua, o aparece
como una blanca vela;
en el mar se despierta o se adormece.
Creó la mar, y nace
de la mar cual la nube y la tormenta;
es el Criador y la criatura lo hace [1];
su aliento es alma, y por el alma alienta.
Yo he de hacerte, mi Dios, cual tú me hiciste,
y para darte el alma que me diste
en mí te he de crear. Que el puro río

---

[1] En *Poesías completas*, 1.ª edic.:
         es el Creador y la criatura lo hace...

de caridad que fluye eternamente,
fluya en mi corazón. ¡Seca, Dios mío,
de una fe sin amor la turbia fuente!

VI

El Dios que todos llevamos,
el Dios que todos hacemos,
el Dios que todos buscamos
y que nunca encontraremos.
Tres dioses o tres personas
del solo Dios verdadero.

VII

Dice la razón: Busquemos
la verdad.
Y el corazón: Vanidad.
La verdad ya la tenemos.
La razón: ¡Ay, quién alcanza
la verdad!
El corazón: Vanidad.
La verdad es la esperanza.
Dice la razón: Tú mientes.
Y contesta el corazón:
Quien miente eres tú, razón,
que dices lo que no sientes.
La razón: Jamás podremos
entendernos, corazón.
El corazón: Lo veremos.

VIII

Cabeza meditadora,
¡qué lejos se oye el zumbido
de la abeja libadora!
Echaste un velo de sombra
sobre el bello mundo y vas
creyendo ver, porque mides
la sombra con un compás.
Mientras la abeja fabrica,
melifica,
con jugo de campo y sol,

yo voy echando verdades
que nada son, vanidades
al fondo de mi crisol.
De la mar al percepto,
del percepto al concepto,
del concepto a la idea
—¡oh, la linda tarea!—,
de la idea a la mar.
¡Y otra vez a empezar!

CXXXVIII

MI BUFÓN

    El demonio de mis sueños
ríe con sus labios rojos,
sus negros y vivos ojos,
sus dientes finos, pequeños.
Y jovial y picaresco
se lanza a un baile grotesco,
luciendo el cuerpo deforme
y su enorme
joroba. Es feo y barbudo,
y chiquitín y panzudo.
Yo no sé por qué razón,
de mi tragedia, bufón,
te ríes... Mas tú eres vivo
por tu danzar sin motivo.

ELOGIOS

CXXXIX

A DON FRANCISCO GINER DE LOS RÍOS

Como se fue el maestro,
la luz de esta mañana
me dijo: Van tres días
que mi hermano Francisco no trabaja.
¿Murió? ... Sólo sabemos
que se nos fue por una senda clara,
diciéndonos: Hacedme
un duelo de labores y esperanzas.
Sed buenos y no más, sed lo que he sido
entre vosotros: alma.
Vivid, la vida sigue,
los muertos mueren y las sombras pasan,
lleva quien deja y vive el que ha vivido.
¡Yunques, sonad; enmudeced, campanas!
Y hacia otra luz más pura
partió el hermano de la luz del alba,
del sol de los talleres,
el viejo alegre de la vida santa.
... ¡Oh, sí!, llevad, amigos,
su cuerpo a la montaña,
a los azules montes
del ancho Guadarrama.
Allí hay barrancos hondos
de pinos verdes donde el viento canta.
Su corazón repose

bajo una encina casta,
en tierra de tomillos, donde juegan
mariposas doradas ...
Allí el maestro un día
soñaba un nuevo florecer de España.

Baeza, 21 de febrero de 1915.

CXL

AL JOVEN MEDITADOR JOSÉ ORTEGA Y GASSET

A ti laurel y yedra
corónente, dilecto
de Sofía, arquitecto.
Cincel, martillo y piedra
y masones te sirvan; las montañas
de Guadarrama frío
te brinden el azul de sus entrañas,
meditador de otro Escorial sombrío.
Y que Felipe austero,
al borde de su regia sepultura,
asome a ver la nueva arquitectura,
y bendiga la prole de Lutero.

CXLI

A XAVIER VALCARCE

... En el intermedio de la primavera.

Valcarce, dulce amigo, si tuviera
la voz que tuve antaño, cantaría
el intermedio de tu primavera
—porque aprendiz he sido de ruiseñor un día—,
y el rumor de tu huerto —entre las flores
el agua oculta corre, pasa y suena
por acequias, regatos y atanores—,
y el inquieto bullir de tu colmena,
y esa doliente juventud que tiene

ardores de faunalias,
y que pisando viene
la huella a mis sandalias.
     Mas hoy... ¿será porque el enigma grave
me tentó en la desierta galería,
y abrí con una diminuta llave
el ventanal del fondo que da a la mar sombría?
¿Será porque se ha ido
quien asentó mis pasos en la tierra,
y en este nuevo ejido
sin rubia mies, la soledad me aterra?
     No sé, Valcarce, mas cantar no puedo;
se ha dormido la voz en mi garganta,
y tiene el corazón un salmo quedo.
Ya sólo reza el corazón, no canta.
     Mas hoy, Valcarce, como un fraile viejo
puedo hacer confesión, que es dar consejo.
     En este día claro, en que descansa
tu carne de quimeras y amoríos
—así en amplio silencio se remansa
el agua bullidora de los ríos—,
no guardes en tu cofre la galana
veste dominical, el limpio traje,
para llenar de lágrimas mañana
la mustia seda y el marchito encaje,
sino viste, Valcarce, dulce amigo,
gala de fiesta para andar contigo.
     Y cíñete la espada rutilante,
y lleva tu armadura,
el peto de diamante
debajo de la blanca vestidura.
     ¡Quién sabe! Acaso tu domingo sea
la jornada guerrera y laboriosa,
el día del Señor, que no reposa,
el claro día en que el Señor pelea.

CXLII

MARIPOSA DE LA SIERRA

A Juan Ramón Jiménez, por su libro
Platero y yo.

¿No eres tú, mariposa,
el alma de estas sierras solitarias,
de sus barrancos hondos,
y de sus cumbres agrias?
Para que tú nacieras,
con su varita mágica
a las tormentas de la piedra, un día,
mandó callar un hada,
y encadenó los montes
para que tú volaras.
Anaranjada y negra,
morenita y dorada,
mariposa montés, sobre el romero
plegadas las alillas o, voltarias,
jugando con el sol, o sobre un rayo
de sol cruficadas.
¡Mariposa montés y campesina,
mariposa serrana,
nadie ha pintado tu color; tú vives
tu color y tus alas
en el aire, en el sol, sobre el romero,
tan libre, tan salada!...
Que Juan Ramón Jiménez
pulse por ti su lira franciscana.

Sierra de Cazorla. 28 de mayo de 1915.

CXLIII

DESDE MI RINCÓN

ELOGIOS

> Al libro *Castilla*, del maestro "Azorín"
> con motivos del mismo.

Con este libro de melancolía
toda Castilla a mi rincón me llega;
Castilla la gentil y la bravía,
la parda y la manchega.
¡Castilla, España de los largos ríos
que el mar no ha visto y corre hacia los mares;
Castilla de los páramos sombríos,
Castilla de los negros encinares!
Labriegos transmarinos y pastores
trashumantes —arados y merinos—,
labriegos con talante de señores,
pastores del color de los caminos.
Castilla de grisientos peñascales,
pelados serrijones,
barbechos y trigales,
malezas y cambrones.
Castilla azafranada y polvorienta,
sin montes, de arreboles purpurinos.
Castilla visionaria y soñolienta
de llanuras, viñedos y molinos.
Castilla —hidalgos de semblante enjuto,
rudos jaques y orondos bodegueros—,
Castilla —trajinantes y arrieros
de ojos inquietos, de mirar astuto—,
mendigos rezadores,
y frailes pordioseros,
boteros, tejedores,
arcadores, perailes, chicarreros,
lechuzos y rufianes,
fulleros y truhanes,
caciques y tahúres y logreros.
¡Oh venta de los montes! —Fuencebada,
Fonfría, Oncala, Manzanal, Robledo—.
¡Mesón de los caminos y posada

de Esquivias, Salas, Almazán, Olmedo!
La ciudad diminuta y la campana
de las monjas que tañe, cristalina ...
¡Oh dueña doñeguil tan de mañana
y amor de Juan Ruiz a doña Endrina!
Las comadres —Gerarda y Celestina—.
Los amantes —Fernando y Dorotea—.
¡Oh casa, oh huerto, oh sala silenciosa!
¡Oh divino vasar en donde posa
sus dulces ojos verdes Melibea!
¡Oh jardín de cipreses y rosales,
donde Calisto ensimismado piensa
que tornan con las nubes inmortales
las mismas olas de la mar inmensa!
¡Y este hoy que mira a ayer; y este mañana
que nacerá tan viejo!
¡Y esta esperanza vana
de romper el encanto del espejo!
¡Y esta agua amarga de la fuente ignota!
¡Y este filtrar la gran hipocondría
de España siglo a siglo y gota a gota!
¡Y esta alma de *Azorín* ... y esta alma mía
que está viendo pasar, bajo la frente,
de una España la inmensa galería,
cual pasa del ahogado en la agonía
todo su ayer, vertiginosamente!
Basta, *Azorín*, yo creo
en el alma sutil de tu Castilla,
y en esa maravilla
de tu hombre triste del balcón, que veo
siempre añorar, la mano en la mejilla.
Contra el gesto del persa, que azotaba
la mar con su cadena;
contra la flecha que el tahúr tiraba
al cielo, creo en la palabra buena.
Desde un pueblo que ayuna y se divierte,
ora y eructa, desde un pueblo impío
que juega al mus, de espaldas a la muerte,
creo en la libertad y en la esperanza,
y en una fe que nace
cuando se busca a Dios y no se alcanza,
y en el Dios que se lleva y que se hace.

ENVÍO

¡Oh, tú, *Azorín*, que de la mar de Ulises
viniste al ancho llano
en donde el gran Quijote, el buen Quijano,
soñó con Esplandianes y Amadises;
buen *Azorín*, por adopción manchego,
que guardas tu alma ibera,
tu corazón de fuego
bajo el regio almidón de tu pechera
—un poco libertario
de cara a la doctrina,
¡admirable *Azorín*, el reaccionario
por asco de la greña jacobina!—;
pero tranquilo, varonil —la espada
ceñida a la cintura
y con santo rencor acicalada—,
sereno en el umbral de tu aventura!
¡Oh, tú, *Azorín*, escucha: España quiere
surgir, brotar, toda una España empieza!
¿Y ha de helarse en la España que se muere?
¿Ha de ahogarse en la España que bosteza?
Para salvar la nueva epifanía
hay que acudir, ya es hora,
con el hacha y el fuego al nuevo día.
Oye cantar los gallos de la aurora.

Baeza, 1913. –

CXLIV

UNA ESPAÑA JOVEN

... Fue un tiempo de mentira, de infamia. A España toda,
la malherida España, de Carnaval vestida
nos la pusieron, pobre y escuálida y beoda,
para que no acertara la mano con la herida.
Fue ayer; éramos casi adolescentes; era
con tiempo malo, encinta de lúgubres presagios,
cuando montar quisimos en pelo una quimera,
mientras la mar dormía ahíta de naufragios.

Dejamos en el puerto la sórdida galera,
y en una nave de oro nos plugo navegar
hacia los altos mares, sin aguardar ribera,
lanzando velas y anclas y gobernalle al mar.
Ya entonces, por el fondo de nuestro sueño —herencia
de un siglo que vencido sin gloria se alejaba—
un alba entrar quería; con nuestra turbulencia
la luz de las divinas ideas batallaba.
Mas cada cual el rumbo siguió de su locura;
agilitó su brazo, acreditó su brío;
dejó como un espejo bruñida su armadura
y dijo: "El hoy es malo, pero el mañana ... es mío."
Y es hoy aquel mañana de ayer ... Y España toda,
con sucios oropeles de Carnaval vestida
aún la tenemos: pobre y escuálida y beoda;
mas hoy de un vino malo: la sangre de su herida.
Tú, juventud más joven, si de más alta cumbre
la voluntad te llega, irás a tu aventura
despierta y transparente a la divina lumbre,
como el diamante clara, como el diamante pura.

1914[1]

CXLV

ESPAÑA, EN PAZ

En mi rincón moruno, mientras repiquetea
el agua de la siembra bendita en los cristales,
yo pienso en la lejana Europa que pelea,
el fiero Norte, envuelto en lluvias otoñales.
Donde combaten galos, ingleses y teutones,
allá, en la vieja Flandes y en una tarde fría,
sobre jinetes, carros, infantes y cañones
pondrá la lluvia el velo de su melancolía.
Envolverá la niebla el rojo expoliario
—sordina gris al férreo claror del campamento—,
las brumas de la Mancha caerán como un sudario
de la flamenca duna sobre el fangal sangriento.

[1] En *Poesías completas*, 1.ª edic.: Enero, 1915.

Un César ha ordenado las tropas de Germania
contra el francés avaro y el triste moscovita,
y osó hostigar la rubia pantera de Britania.
Medio planeta en armas contra el teutón milita.

¡Señor! La guerra es mala y bárbara; la guerra,
odiada por las madres, las almas entigrece;
mientras la guerra pasa, ¿quién sembrará la tierra?
¿Quién segará la espiga que junio amarillece?

Albión acecha y caza las quillas en los mares;
Germania arruina templos, moradas y talleres;
la guerra pone un soplo de hielo en los hogares,
y el hambre en los caminos, y el llanto en las mujeres.

Es bárbara la guerra y torpe y regresiva;
¿por qué otra vez a Europa esta sangrienta racha
que siega el alma y esta locura acometiva?
¿Por qué otra vez el hombre de sangre se emborracha?

La guerra nos devuelve las podres y las pestes
del Ultramar cristiano; el vértigo de horrores
que trajo Atila a Europa con sus feroces huestes[1];
las hordas mercenarias, los púnicos rencores;
la guerra nos devuelve los muertos milenarios
de ciclopes, centauros, Heracles y Teseos;
la guerra resucita los sueños cavernarios
del hombre con peludos mammuthes giganteos.

¿Y bien? El mundo en guerra y en paz España sola.
¡Salud, oh buen Quijano! Por si este gesto es tuyo,
yo te saludo. ¡Salve! Salud, paz española,
si no eres paz cobarde, sino desdén y orgullo.

Si eres desdén y orgullo, valor de ti, si bruñes
en esa paz, valiente, la enmohecida espada,
para tenerla limpia, sin tacha, cuando empuñes
el arma de tu vieja panoplia arrinconada;
si pules y acicalas tus hierros para, un día,
vestir de luz, y erguida: *heme aquí, pues España,*
en alma y cuerpo, toda, para una guerra mía,
heme aquí, pues, vestida para la propia hazaña,
decir, para que diga quien oiga: *es voz, no es eco,*
el buen manchego habla palabras de cordura;
parece que el hidalgo amojamado y seco

---

[1] En *Poesías completas*, 1.ª edic.: "tartáreas huestes".

entró en razón, y tiene espada a la cintura;
entonces, paz de España, yo te saludo.
                                                    Si eres
vergüenza humana de esos rencores cabezudos
con que se matan miles de avaros mercaderes,
sobre la madre tierra que los parió desnudos;
si sabes cómo Europa entera se anegaba
en una paz sin alma, en un afán sin vida,
y que una calentura cruel la aniquilaba,
que es hoy la fiebre de esta pelea fratricida;
si sabes que esos pueblos arrojan sus riquezas
al mar y al fuego —todos— para sentirse hermanos
un día ante el divino altar de la pobreza,
gabachos y tudescos, latinos y britanos,
entonces, paz de España, también yo te saludo,
y a ti, la España fuerte, si, en esta paz bendita,
en tu desdeño esculpes, como sobre un escudo,
dos ojos que avizoran y un ceño que medita.

                                        Baeza, 10 de noviembre de 1914.

CXLVI

> *Flor de santidad.*—Novela milenaria,
> por D. Ramón del Valle-Inclán.

  Esta leyenda en sabio romance campesino,
ni arcaico ni moderno, por Valle-Inclán escrita,
revela en los halagos de un viento vespertino,
la santa flor de alma que nunca se marchita.
  Es la leyenda campo y campo. Un peregrino
que vuelve solitario de la sagrada tierra
donde Jesús morara, camina sin camino,
entre los agrios montes de la galaica sierra.
  Hilando, silenciosa, la rueca a la cintura.
Adega, en cuyos ojos la llama azul fulgura
de la piedad humilde, en el romero ha visto,
  al declinar la tarde, la pálida figura,
la frente gloriosa de luz y la amargura
de amor que tuvo un día el SALVADOR DOM. CRISTO.

CXLVII

AL MAESTRO RUBÉN DARÍO

Este noble poeta, que ha escuchado
los ecos de la tarde y los violines
del otoño en Verlaine, y que ha cortado
las rosas de Ronsard en los jardines
de Francia, hoy, peregrino
de un Ultramar de Sol, nos trae el oro
de su verbo divino.
¡Salterios del loor vibran en coro!
La nave bien guarnida,
con fuerte casco y acerada prora,
de viento y luz la blanca vela henchida
surca, pronta a arribar, la mar sonora.
Y yo le grito: ¡Salve! a la bandera
flamígera que tiene
esta hermosa galera,
que de una nueva España a España viene.

1904.

CXLVIII

A LA MUERTE DE RUBÉN DARÍO

Si era toda en tu verso la armonía del mundo,
¿dónde fuiste, Darío, la armonía a buscar?
Jardinero de Hesperia, ruiseñor de los mares,
corazón asombrado de la música astral,
¿te ha llevado Dionysos de su mano al infierno
y con las nuevas rosas triunfantes volverás?
¿Te han herido buscando la soñada Florida,
la fuente de la eterna juventud, capitán?
Que en esta lengua madre la clara historia quede;
corazones de todas las Españas, llorad.
Rubén Darío ha muerto en sus tierras de Oro,
esta nueva nos vino atravesando el mar.
Pongamos, españoles, en un severo mármol,

su nombre, flauta y lira, y una inscripción no más:
Nadie esta lira pulse, si no es el mismo Apolo,
nadie esta flauta suene, si no es el mismo Pan.

1916.

CXLIX

A NARCISO ALONSO CORTÉS, POETA
DE CASTILLA

"Jam senior, sed cruda deo viridisque senectu."
VIRGILIO: *Eneida.*

Tus versos me han llegado a este rincón manchego,
regio presente en arcas de rica taracea,
que guardan, entre ramos de castellano espliego,
narciso de Citeres y lirios de Judea.
En tu árbol viejo anida un canto adolescente,
del ruiseñor de antaño la dulce melodía.
Poeta, que declaras arrugas en tu frente,
tu musa es la más noble: se llama Todavía.
Al corazón del hombre con red sutil envuelve
el tiempo, como niebla de río una arboleda.
¡No mires; todo pasa; olvida: nada vuelve!
Y el corazón del hombre se angustia... ¡Nada queda!
El tiempo rompe el hierro y gasta los marfiles.
Con limas y barrenas, buriles y tenazas,
el tiempo lanza obreros a trabajar febriles,
enanos con punzones y cíclopes con mazas.
El tiempo lame y roe y pule y mancha y muerde;
socava el alto muro, la piedra agujerea;
apaga la mejilla y abrasa la hoja verde;
sobre las frentes cava los surcos de la idea.
Pero el poeta afronta el tiempo inexorable,
como David al fiero gigante filisteo;
de su armadura busca la pieza vulnerable,
y quiere obrar la hazaña a que no osó Teseo.
Vencer al tiempo quiere. ¡Al tiempo! ¿Hay un seguro
donde afincar la lucha? ¿Quién lanzará el venablo
que cace esa alimaña? ¿Se sabe de un conjuro

que ahuyente ese enemigo, como la cruz al diablo?
El alma. El alma vence —¡la pobre cenicienta,
que en este siglo vano, cruel, empedernido,
por esos mundos vaga escuálida y hambrienta!—
al ángel de la muerte y al agua del olvido.
  Su fortaleza opone al tiempo, como el puente
al ímpetu del río sus pétreos tajamares;
bajo ella el tiempo lleva bramando su torrente,
sus aguas cenagosas huyendo hacia los mares.
  Poeta, el alma sólo es ancla en la ribera,
dardo cruel y doble escudo adamantino;
y en el diciembre helado, rosal de primavera;
y sol del caminante y sombra del camino.
  Poeta, que declaras arrugas en tu frente,
tu noble verso sea más joven cada día;
que en tu árbol viejo suele el canto adolescente,
del ruiseñor eterno la dulce melodía.

Venta de Cárdenas, 24 de octubre.

CL

MIS POETAS

  El primero es Gonzalo de Berceo llamado,
Gonzalo de Berceo, poeta y peregrino,
que yendo en romería acaeció en un prado,
y a quien los sabios pintan copiando un pergamino.
  Trovó a Santo Domingo, trovó a Santa María,
y a San Millán, y a San Lorenzo y Santa Oria,
y dijo: Mi dictado non es de juglaría;
escrito lo tenemos; es verdadera historia.
  Su verso es dulce y grave; monótonas hileras
de chopos invernales en donde nada brilla;
renglones como surcos en pardas sementeras,
y lejos, las montañas azules de Castilla.
  Él nos cuenta el repaire del romeo cansado;
leyendo en santorales y libros de oración,
copiando historias viejas, nos dice su dictado,
mientras le sale afuera la luz del corazón.

CLI

A DON MIGUEL DE UNAMUNO

Por su libro *Vida de Don Quijote y Sancho.*

Este donquijotesco
don Miguel de Unamuno, fuerte vasco,
lleva el arnés grotesco
y el irrisorio casco
del buen manchego. Don Miguel camina,
jinete de quimérica montura,
metiendo espuela de oro a su locura,
sin miedo de la lengua que malsina.
   A un pueblo de arrieros,
lechuzos y tahúres y logreros
dicta lecciones de Caballería.
Y el alma desalmada de su raza,
que bajo el golpe de su férrea maza
aún duerme, puede que despierte un día.
   Quiere enseñar el ceño de la duda,
antes de que cabalgue, al caballero;
cual nuevo Hamlet, a mirar desnuda
cerca del corazón la hoja de acero.
   Tiene el aliento de una estirpe fuerte
que soñó más allá de sus hogares,
y que el oro buscó tras de los mares.
Él señala la gloria tras la muerte.
Quiere ser fundador, y dice: Creo;
Dios y adelante el ánima española ...
Y es tan bueno y mejor que fue Loyola:
sabe a Jesús y escupe al fariseo.

CLII

A JUAN RAMÓN JIMÉNEZ

Por su libro *Arias tristes.*

Era una noche del mes
de mayo, azul y serena.

Sobre el agudo ciprés
brillaba la luna llena,
  iluminando la fuente
en donde el agua surtía
sollozando intermitente.
Sólo la fuente se oía.
  Después, se escuchó el acento
de un oculto ruiseñor.
Quebró una racha de viento
la curva del surtidor.
  Y una dulce melodía
vagó por todo el jardín:
entre los mirtos tañía
un músico su violín.
  Era un acorde lamento
de juventud y de amor
para la luna y el viento,
el agua y el ruiseñor.
  "El jardín tiene una fuente
y la fuente una quimera..."
Cantaba una voz doliente,
alma de la primavera.
  Calló la voz y el violín
apagó su melodía.
Quedó la melancolía
vagando por el jardín.
Sólo la fuente se oía.

NUEVAS CANCIONES (1917-1930)

CLIII

OLIVO DEL CAMINO

A la memoria de D. Cristóbal Torres.

I

Parejo de la encina castellana
crecida sobre el páramo, señero
en los campos de Córdoba la llana
que dieron su caballo al Romancero,
lejos de tus hermanos
que vela el ceño campesino —enjutos
pobladores de lomas y altozanos,
horros de sombra, grávidos de frutos—,
sin caricia de mano labradora
que limpie tu ramaje, y por olvido,
viejo olivo, del hacha leñadora,
¡cuán bello estás junto a la fuente erguido,
bajo este azul cobalto,
como un árbol silvestre, espeso y alto!

II

Hoy, a tu sombra, quiero
ver estos campos de mi Andalucía,
como a la vera ayer del Alto Duero
la hermosa tierra de encinar veía.
Olivo solitario,
lejos del olivar, junto a la fuente,
olivo hospitalario

que das tu sombra a un hombre pensativo
y a un agua transparente,
al borde del camino que blanquea,
guarde tus verdes ramas, viejo olivo,
la diosa de ojos glaucos, Atenea.

III

Busque tu rama verde el suplicante
para el templo de un dios, árbol sombrío;
Deméter jadeante
pose a tu sombra, bajo el sol de estío.
Que reflorezca el día
en que la diosa huyó del ancho Urano,
cruzó la espalda de la mar bravía,
llegó a la tierra en que madura el grano.
y en su querida Eleusis, fatigada,
sentóse a reposar junto al camino,
ceñido el peplo, yerta la mirada,
lleno de angustia el corazón divino ...
Bajo tus ramas, viejo olivo, quiero
un día recordar del sol de Homero.

IV

Al palacio de un rey llegó la dea,
sólo divina en el mirar sereno,
ocultando su forma gigantea
de joven talle y de redondo seno,
trocado el manto azul por burda lana,
como sierva propicia a la tarea
de humilde oficio con que el pan se gana.
De Keleos la esposa venerable,
que daba al hijo en su vejez nacido,
a Demofón, un pecho miserable,
la reina de los bucles de ceniza,
del niño bien amado
a Deméter tomó para nodriza.
Y el niño floreció como criado
en brazos de una diosa,
o en las selvas feraces
—así el bastardo de Afrodita hermosa—
al seno de las ninfas montaraces.

V

Mas siempre el ceño maternal espía,
y una noche, cèlando a la extranjera,
vio la reina una llama. En roja hoguera
a Demofón, el príncipe lozano.
Deméter impasible revolvía,
y al cuello, al torso, al vientre, con su mano
una sierpe de fuego le ceñía.
Del regio lecho, en la aromada alcoba,
saltó la madre; al corredor sombrío
salió gritando, aullando, como loba
herida en las entrañas: ¡hijo mío!

VI

Deméter la miró con faz severa.
—Tal es, raza mortal, tu cobardía.
Mi llama el fuego de los dioses era.
Y al niño, que en sus brazos sonreía:
—Yo soy Deméter que los frutos grana,
¡oh príncipe nutrido por mi aliento,
y en mis brazos más rojo que manzana
madurada en otoño al sol y al viento! ...
Vuelve al halda materna, y tu nodriza
no olvides, Demofón, que fue una diosa;
ella trocó en maciza
tu floja carne y la tiñó de rosa,
y te dio el ancho torso, el brazo fuerte,
y más te quiso dar y más te diera:
con la llama que libra de la muerte,
la eterna juventud por compañera.

VII

La madre de la bella Proserpina
trocó en moreno grano,
para el sabroso pan de blanca harina,
aguas de abril y soles de verano.
Trigales y trigales ha corrido
la rubia diosa de la hoz dorada,
y del campo a las eras del ejido,
con sus montes de mies agavillada,
llegaron los huesudos bueyes rojos,

la testa dolorida al yugo atada,
y con la tarde ubérrima en los ojos.
   De segados trigales y alcaceles
hizo el fuego sequizos rastrojales;
en el huerto rezuma el higo mieles,
cuelga la oronda pera en los perales,
hay en las vides rubios moscateles,
y racimos de rosa en los parrales
que festonan la blanca almacería
de los huertos. Ya irá de glauca a bruna,
por llano, loma, alcor y serranía,
de los verdes olivos la aceituna...
   Tu fruto, ¡oh polvoriento del camino
árbol ahíto de la estiva llama!,
no estrujarán las piedras del molino,
aguardará la fiesta, en la alta rama,
del alegre zorzal, o el estornino
lo llevará en su pico, alborozado.
   Que en tu ramaje luzca, árbol sagrado,
bajo la luna llena,
el ojo encandilado
del búho insomne de la sabia Atena.
   Y que la diosa de la hoz bruñida
y de la adusta frente
materna sed y angustia de uranida
traiga a tu sombra, olivo de la fuente.
   Y con tus ramas la divina hoguera
encienda en un hogar del campo mío,
por donde tuerce perezoso un río
que toda la campiña hace ribera
antes que un pueblo, hacia la mar, navío.

CLIV

APUNTES

I

Desde mi ventana,
¡campo de Baeza,
a la luna clara!

¡Montes de Cazorla,
Aznaitín y Mágina!
¡De luna y de piedra
también los cachorros
de Sierra Morena!

II

Sobre el olivar,
se vio a la lechuza
volar y volar.
Campo, campo, campo.
Entre los olivos,
los cortijos blancos.
Y la encina negra,
a medio camino
de Úbeda a Baeza.

III

Por un ventanal,
entró la lechuza
en la catedral.
San Cristobalón
la quiso espantar,
al ver que bebía
del velón de aciete
de Santa María.
La Virgen habló:
Déjala que beba,
San Cristobalón.

IV

Sobre el olivar,
se vio a la lechuza
volar y volar.
A Santa María
un ramito verde
volando traía.
¡Campo de Baeza,
soñaré contigo
cuando no te vea!

V

Dondequiera vaya,
José de Mairena
lleva su guitarra.
Su guitarra lleva,
cuando va a caballo,
a la bandolera.
Y lleva el caballo
con la rienda corta,
la cerviz en alto.

VI

¡Pardos borriquillos
de ramón cargados,
entre los olivos!

VII

¡Tus sendas de cabras
y tus madroñeras,
Córdoba serrana!

VIII

¡La del Romancero,
Córdoba la llana!...
Guadalquivir hace vega,
el campo relincha y brama.

IX

Los olivos grises,
los caminos blancos.
El sol ha sorbido
la calor del campo;
y hasta tu recuerdo
me lo va secando
este alma de polvo
de los días malos.

CLV

HACIA TIERRA BAJA

I

Rejas de hierro; rosas de grana.
¿A quién esperas,
con esos ojos y esas ojeras,
enjauladita como las fieras,
tras de los hierros de tu ventana?
    Entre las rejas y los rosales,
¿sueñas amores
de bandoleros galanteadores,
fieros amores entre puñales?
    Rondar tu calle nunca verás
ese que esperas; porque se fue
toda la España de Mérimée.
    Por esta calle —tú elegirás—
pasa un notario
que va al tresillo del boticario,
y un usurero, a su rosario.
    También yo paso, viejo y tristón.
Dentro del pecho llevo un león.

II

Aunque me ves por la calle,
también yo tengo mis rejas,
mis rejas y mis rosales.

III

Un mesón de mi camino.
Con un gesto de vestal,
tú sirves el rojo vino
de una orgía de arrabal.
    Los borrachos
de los ojos vivarachos
y la lengua fanfarrona
te requiebran ¡oh varona!
    Y otros borrachos suspiran
por tus ojos de diamante,
tus ojos que a nadie miran.

A la altura de tus senos,
la batea rebosante
llega en tus brazos morenos.
    ¡Oh mujer,
dame también de beber!

IV

    Una noche de verano.
El tren hacia el puerto va,
devorando aire marino.
Aún no se ve la mar.

*

    Cuando lleguemos al puerto,
niña, verás
un abanico de nácar
que brilla sobre la mar.

*

    A una japonesa
le dijo Sokán:
con la blanca luna
te abanicarás,
con la blanca luna,
a orillas del mar.

V

    Una noche de verano,
en la playa de Sanlúcar,
oí una voz que cantaba:
Antes que salga la luna.
    Antes que salga la luna,
a la vera de la mar,
dos palabritas a solas
contigo tengo de hablar.
    ¡Playa de Sanlúcar,
noche de verano,
copla solitaria
junto al mar amargo!

¡A la orillita del agua,
por donde nadie nos vea,
antes que la luna salga!

CLVI

GALERÍAS

I

En el azul la banda
de unos pájaros negros
que chillan, aletean y se posan
en el álamo yerto.
   ...En el desnudo álamo,
las graves chovas quietas y en silencio,
cual negras, frías notas
escritas en la pauta de febrero.

II

El monte azul, el río, las erectas
varas cobrizas de los finos álamos,
y el blanco del almendro en la colina,
¡oh nieve en flor y mariposa en árbol!
Con el aroma del habar, el viento
corre en la alegre soledad del campo.

III

Una centella blanca
en la nube de plomo culebrea.
¡Los asombrados ojos
del niño, y juntas cejas
—está el salón oscuro— de la madre!...
¡Oh cerrado balcón a la tormenta!
El viento aborrascado y el granizo
en el limpio cristal repiquetean.

IV

El iris y el balcón.
                    Las siete cuerdas
de la lira del sol vibran en sueños.

Un tímpano infantil da siete golpes
—agua y cristal—.
                    Acacias con jilgueros.
Cigüeñas en las torres.
                    En la plaza,
lavó la lluvia el mirto polvoriento.
En el amplio rectángulo ¿quién puso
ese grupo de vírgenes risueño,
y arriba ¡hosanna! entre la rota nube,
la palma de oro y el azul sereno?

V

Entre montes de almagre y peñas grises
el tren devora su rail de acero.
La hilera de brillantes ventanillas
lleva un doble perfil de camafeo,
tras el cristal de plata, repetido...
¿Quién ha punzado el corazón del tiempo?

VI

¿Quién puso, entre las rocas de ceniza,
para la miel del sueño,
esas retamas de oro
y esas azules flores del romero?
La sierra de violeta
y, en el poniente, el azafrán del cielo,
¿quién ha pintado? ¡El abejar, la ermita,
el tajo sobre el río, el sempiterno
rodar del agua entre las hondas peñas,
y el rubio verde de los campos nuevos,
y todo, hasta la tierra blanca y rosa
al pie de los almendros!

VII

En el silencio sigue
la lira pitagórica vibrando,
el iris en la luz, la luz que llena
mi estereoscopio vano.

Han cegado mis ojos las cenizas
del fuego heraclitano.
El mundo es, un momento,
transparente, vacío, ciego, alado.

CLVII

LA LUNA, LA SOMBRA Y EL BUFÓN

I

Fuera, la luna platea
cúpulas, torres, tejados;
dentro, mi sombra pasea
por los muros encalados.
Con esta luna, parece
que hasta la sombra envejece.
   Ahorremos la serenata
de una cenestesia ingrata,
y una vejez intranquila,
y una luna de hojalata.
Cierra tu balcón, Lucila.

II

Se pinta panza y joroba
en la pared de mi alcoba.
Canta el bufón:
            ¡Qué bien van,
en un rostro de cartón,
unas barbas de azafrán!
Lucila, cierra el balcón.

CLVIII

CANCIONES DE TIERRAS ALTAS

I

Por la sierra blanca...
La nieve menuda
y el viento de cara.

Por entre los pinos ...
con la blanca nieve
se borra el camino.
Recio viento sopla
de Urbión a Moncayo.
¡Páramos de Soria!

II

Ya habrá cigüeñas al sol,
mirando la tarde roja,
entre Moncayo y Urbión.

III

Se abrió la puerta que tiene
gonces en mi corazón,
y otra vez la galería
de mi historia apareció.
Otra vez la plazoleta
de las acacias en flor,
y otra vez la fuente clara
cuenta un romance de amor.

IV

Es la parda encina
y el yermo de piedra.
Cuando el sol tramonta,
el río despierta.
¡Oh montes lejanos
de malva y violeta!
En el aire en sombra
sólo el río suena.
¡Luna amoratada
de una tarde vieja,
en un campo frío,
más luna que tierra!

V

Soria de montes azules
y de yermos de violeta,
¡cuántas veces te he soñado

en esta florida vega
por donde se va,
entre naranjos de oro,
Guadalquivir a la mar!

VI

¡Cuántas veces me borraste,
tierra de ceniza,
estos limonares verdes
con sombras de tus encinas!
¡Oh campos de Dios,
entre Urbión el de Castilla
y Moncayo el de Aragón!

VII

En Córdoba, la serrana,
en Sevilla, marinera
y labradora, que tiene
hinchada, hacia el mar, la vela;
y en el ancho llano
por donde la arena sorbe
la baba del mar amargo,
hacia la fuente del Duero
mi corazón —¡Soria pura!—
se tornaba... ¡Oh, fronteriza
entre la tierra y la luna!
¡Alta paramera
donde corre el Duero niño,
tierra donde está su tierra!

VIII

El río despierta.
En el aire oscuro,
sólo el río suena.
¡Oh canción amarga
del agua en la piedra!
... Hacia el alto Espino,
bajo las estrellas.
Sólo suena el río
al fondo del valle,
bajo el alto Espino.

IX

En medio del campo,
tiene la ventana abierta
la ermita sin ermitaño.
Un tejadillo verdoso.
Cuatro muros blancos.
   Lejos relumbra la piedra
del áspero Guadarrama.
Agua que brilla y no suena.
   En el aire claro,
¡los alamillos del soto,
sin hojas, liras de marzo!

X

IRIS DE LA NOCHE

A D. Ramón del Valle-Inclán.

Hacia Madrid, una noche,
va el tren por el Guadarrama.
En el cielo, el arco iris
que hacen la luna y el agua.
¡Oh luna de abril, serena,
que empuja las nubes blancas!
   La madre lleva a su niño,
dormido, sobre la falda.
Duerme el niño y, todavía,
ve el campo verde que pasa,
y arbolillos soleados,
y mariposas doradas.
   La madre, ceño sombrío
entre un ayer y un mañana,
ve unas ascuas mortecinas
y una hornilla con arañas.
   Hay un trágico viajero,
que debe ver cosas raras,
y habla solo y, cuando mira,
nos borra con la mirada.
   Yo pienso en campos de nieve
y en pinos de otras montañas.

Y tú, Señor, por quien todos
vemos y que ves las almas,
dinos si todos, un día,
hemos de verte la cara.

CLIX

CANCIONES

I

Junto a la sierra florida,
bulle el ancho mar.
El panal de mis abejas
tiene granitos de sal.

II

Junto al agua negra.
Olor de mar y jazmines.
Noche malagueña.

III

La primavera ha venido.
Nadie sabe cómo ha sido.

IV

La primavera ha venido.
¡Aleluyas blancas
de los zarzales floridos!

V

¡Luna llena, luna llena,
tan oronda, tan redonda
en esta noche serena
de marzo, panal de luz
que labran blancas abejas.

VI

Noche castellana;
la canción se dice,
o, mejor, se calla.
Cuando duerman todos,
saldré a la ventana.

VII

Canta, canta en claro rimo,
el almendro en verde rama
y el doble sauce del río.
Canta de la parda encina
la rama que el hacha corta
y la flor que nadie mira.
De los perales del huerto
la blanca flor, la rosada
flor del melocotonero.
Y este olor
que arranca el viento mojado
a los habares en flor.

VIII

La fuente y las cuatro
acacias en flor
de la plazoleta.
Ya no quema el sol.
¡Tardecita alegre!
Canta, ruiseñor.
Es la misma hora
de mi corazón.

IX

¡Blanca hospedería,
celda de viajero,
con la sombra mía!

X

El acueducto romano
—canta una voz de mi tierra—
y el querer que nos tenemos,
chiquilla, ¡vaya firmeza!

XI

A las palabras de amor
les sienta bien su poquito
de exageración.

XII

En Santo Domingo,
la misa mayor.
Aunque me decían
hereje y masón,
rezando contigo,
¡cuánta devoción!

XIII

Hay fiesta en el prado verde
—pífano y tambor—.
Con su cayado florido
y abarcas de oro vino un pastor.
    Del monte bajé,
sólo por bailar con ella;
al monte me tornaré.
    En los árboles del huerto
hay un ruiseñor;
canta de noche y de día,
canta a la luna y al sol.
    Ronco de cantar:
al huerto vendrá la niña
y una rosa cortará.
    Entre las negras encinas
hay una fuente de piedra,
y un cantarillo de barro
que nunca se llena.
    Por el encinar,
con la blanca luna,
ella volverá.

XIV

Contigo en Valonsadero,
fiesta de San Juan,
mañana en la Pampa,

del otro lado del mar.
Guárdame la fe,
que yo volveré.
     Mañana seré pampero,
y se me irá el corazón
a orillas del Alto Duero.

xv

     Mientras danzáis en corro,
niñas, cantad:
Ya están los prados verdes,
ya vino abril galán.
     A la orilla del río,
por el negro encinar,
sus abarcas de plata
hemos visto brillar.
Ya están los prados verdes,
ya vino abril galán.

CLX

CANCIONES DEL ALTO DUERO

Canción de mozas.

I

     Molinero es mi amante,
tiene un molino
bajo los pinos verdes,
cerca del río.
Niñas, cantad:
     "Por las tierras de Soria
yo quisiera pasar."

II

     Por las tierras de Soria
va mi pastor.
¡Si yo fuera una encina
sobre un alcor!

Para la siesta,
si yo fuera una encina
sombra le diera.

III

    Colmenero es mi amante,
y, en su abejar,
abejicas de oro
vienen y van.
De tu colmena,
colmenero del alma,
yo colmenera.

IV

    En las sierras de Soria,
azul y nieve.
Leñador es mi amante
de pinos verdes.
¡Quién fuera el águila
para ver a mi dueño
cortando ramas!

V

    Hortelano es mi amante,
tiene su huerto,
en la tierra de Soria,
cerca del Duero.
¡Linda hortelana!
Llevaré saya verde,
monjil de grana.

VI

    A la orilla del Duero,
lindas peonzas,
bailad, coloraditas
como amapolas.
¡Ay, garabí!...
Bailad, suene la flauta
y el tamboril.

CLXI

PROVERBIOS Y CANTARES

A José Ortega y Gasset.

I

El ojo que ves no es
ojo porque tú lo veas;
es ojo porque te ve.

II

Para dialogar,
preguntad primero;
después ... escuchad.

III

Todo narcisismo
es un vicio feo,
y ya viejo vicio.

IV

Mas busca en tu espejo al otro,
al otro que va contigo.

V

Entre el vivir y el soñar
hay una tercera cosa.
Adivínala.

VI

Ese tu Narciso
ya no se ve en el espejo
porque es el espejo mismo.

VII

¿Siglo nuevo? ¿Todavía
llamea la misma fragua?
¿Corre todavía el agua
por el cauce que tenía?

VIII

Hoy es siempre todavía.

IX

Sol en Aries. Mi ventana
está abierta al aire frío.
—¡Oh rumor de agua lejana!—.
La tarde despierta al río.

X

En el viejo caserío
—¡oh anchas torres con cigüeñas!—
enmudece el son gregario,
y en el campo solitario
suena el agua entre las peñas.

XI

Como otra vez, mi atención
está del agua cautiva;
pero del agua en la viva
roca de mi corazón.

XII

¿Sabes, cuando el agua suena,
si es agua de cumbre o valle,
de plaza, jardín o huerta?

XIII

Encuentro lo que no busco:
las hojas del toronjil
huelen a limón maduro.

XIV

Nunca traces tu frontera,
ni cuides de tu perfil;
todo eso es cosa de fuera.

XV

Busca a tu complementario,
que marcha siempre contigo,
y suele ser tu contrario.

XVI

Si vino la primavera,
volad a las flores;
no chupéis cera.

XVII

En mi soledad
he visto cosas muy claras,
que no son verdad.

XVIII

Buena es el agua y la sed;
buena es la sombra y el sol;
la miel de flor de romero,
la miel de campo sin flor.

XIX

A la vera del camino
hay una fuente de piedra,
y un cantarillo de barro
—glu-glu— que nadie se lleva.

XX

Adivina adivinanza,
qué quieren decir la fuente,
el cantarillo y el agua.

XXI

... Pero yo he visto beber
hasta en los charcos del suelo.
Caprichos tiene la sed.

XXII

Sólo quede un símbolo:
quod elixum est ne asato.
No aséis lo que está cocido.

XXIII

Canta, canta, canta,
junto a su tomate,
el grillo en su jaula.

XXIV

Despacito y buena letra:
el hacer las cosas bien
importa más que el hacerlas.

XXV

Sin embargo...
 ¡Ah!, sin embargo,
importa avivar los remos,
dijo el caracol al galgo.

XXVI

¡Ya hay hombres activos!
Soñaba la charca
con sus mosquitos.

XXVII

¡Oh calavera vacía!
¡Y pensar que todo era
dentro de ti, calavera!,
otro Pandolfo decía.

XXVIII

Cantores, dejad
palmas y jaleo
para los demás.

XXIX

Despertad, cantores:
acaben los ecos,
empiecen las voces.

XXX

Mas no busquéis disonancias;
porque, al fin, nada disuena,
siempre al son que tocan bailan.

XXXI

Luchador superfluo,
ayer lo más noble,
mañana lo más plebeyo.

XXXII

Camorrista, boxeador,
zúrratelas con el viento.

XXXIII

Sin embargo ...
                    ¡Oh!, sin embargo,
queda un fetiche que aguarda
ofrenda de puñetazos.

XXXIV

O *rinnovarsi* o *perire* ...
No me suena bien
Navigare è necessario ...
Mejor: ¡vivir para ver!

XXXV

Ya maduró un nuevo cero,
que tendrá su devoción:
un ente de acción ta huero
como un ente de razón.

XXXVI

No es el yo fundamental
eso que busca el poeta,
sino el tú esencial.

XXXVII

Viejo como el mundo es
—dijo un doctor—, olvidado,
por sabido, y enterrado
cual la momia de Ramsés.

XXXVIII

Mas el doctor no sabía
que hoy es siempre todavía.

XXXIX

Busca en tu prójimo espejo;
pero no para afeitarte,
ni para teñirte el pelo.

XL

Los ojos por que suspiras,
sábelo bien,
los ojos en que te miras
son ojos porque te ven.

XLI

—Ya se oyen palabras viejas.
—Pues aguzad las orejas.

XLII

Enseña el Cristo: a tu prójimo
amarás como a ti mismo,
mas nunca olvides que es otro.

XLIII

Dijo otra verdad:
busca el tú que nunca es tuyo
ni puede serlo jamás.

XLIV

No desdeñéis la palabra;
el mundo es ruidoso y mudo,
poetas, sólo Dios habla.

XLV

¿Todo para los demás?
Mancebo, llena tu jarro,
que ya te lo beberán.

XLVI

Se miente más de la cuenta
por falta de fantasía:
también la verdad se inventa.

XLVII

Autores, la escena acaba
con un dogma de teatro:
En el principio era la máscara.

XLVIII

Será el peor de los malos
bribón que olvide
su vocación de diablo.

XLIX

¿Dijiste media verdad?
Dirán que mientes dos veces
si dices la otra mitad.

L

Con el tú de mi canción
no te aludo, compañero;
ese tú soy yo.

LI

Demos tiempo al tiempo:
para que el vaso rebose
hay que llenarlo primero.

LII

Hora de mi corazón:
la hora de una esperanza
y una desesperación.

LIII

Tras el vivir y el soñar,
está lo que más importa:
despertar.

LIV

Le tiembla al cantar la voz.
Ya no le silban sus coplas,
que silba su corazón.

LV

Ya hubo quien pensó:
cogito ergo non sum.
¡Qué exageración!

LVI

Conversación de gitanos:
—¿Cómo vamos, compadrito?
—Dando vueltas al atajo.

LVII

Algunos desesperados
sólo se curan con soga;
otros con siete palabras:
la fe se ha puesto de moda.

LVIII

Creí mi hogar apagado,
y revolví la ceniza ...
Me quemé la mano.

LIX

¡Reventó de risa!
¡Un hombre tan serio!
... Nadie lo diría.

LX

Que se divida el trabajo:
los malos unten la flecha;
los buenos tiendan el arco.

LXI

Como don San Tob,
se tiñe las canas,
y con más razón.

LXII

Por dar al viento trabajo,
cosía con hilo doble
las hojas secas del árbol.

LXIII

Sentía los cuatro vientos,
en la encrucijada
de su pensamiento.

LXIV

¿Conoces los invisibles
hiladores de los sueños?
Son dos: la verde esperanza
y el torvo miedo.
　　Apuesta tienen de quien
hile más y más ligero,
ella, su copo dorado;
él, su copo negro.
　　Con el hilo que nos dan
tejemos, cuando tejemos.

LXV

Siembra la malva:
pero no la comas,
dijo Pitágoras.
　　Responde al hachazo
—ha dicho el Buda ¡y el Cristo!—
con tu aroma, como el sándalo.
　　Bueno es recordar
las palabras viejas
que han de volver a sonar.

LXVI

Poned atención:
un corazón solitario
no es un corazón.

LXVII

Abejas, cantores,
no a la miel, sino a las flores.

LXVIII

Todo necio
confunde valor y precio.

LXIX

Lo ha visto pasar en sueños...
Buen cazador de sí mismo,
siempre en acecho.

LXX

Cazó a su hombre malo,
el de los días azules,
siempre cabizbajo.

LXXI

Da doble luz a tu verso,
para leído de frente
y al sesgo.

LXXII

Mas no te importe si rueda
y pasa de mano en mano:
del oro se hace moneda.

LXXIII

De un *Arte de Bien Comer*,
primera lección:
No has de coger la cuchara
con el tenedor.

LXXIV

Señor San Jerónimo,
suelte usted la piedra
con que se machaca.
Me pegó con ella.

LXXV

Conversación de gitanos:
—Para rodear,
toma la calle de en medio;
nunca llegarás.

LXXVI

El tono lo da la lengua,
ni más alto ni más bajo;
sólo acompáñate de ella.

LXXVII

¡Tartarín en Kœnigsberg!
Con el puño en la mejilla,
todo lo llegó a saber.

LXXVIII

Crisolad oro en copela,
y burilad lira y arco
no en joya, sino en moneda.

LXXIX

Del romance castellano
no busques la sal castiza;
mejor que romance viejo,
poeta, cantar de niñas.
Déjale lo que no puedes
quitarle: su melodía
de cantar que canta y cuenta
un ayer que es todavía.

LXXX

Concepto mondo y lirondo
suele ser cáscara hueca;
puede ser caldera al rojo.

LXXXI

Si vivir es bueno,
es mejor soñar,
y mejor que todo,
madre, despertar.

LXXXII

No el sol, sino la campana,
cuando te despierta, es
lo mejor de la mañana.

LXXXIII

¡Qué gracia! En la Hesperia triste,
promontorio occidental,
en este cansino rabo
de Europa, por desollar,
y en una ciudad antigua,
chiquita como un dedal,
¡el hombrecillo que fuma
y piensa, y ríe al pensar:
cayeron las altas torres;
en un basurero están
la corona de Guillermo,
la testa de Nicolás!

Baeza, 1919.

LXXXIV

Entre las brevas soy blando;
entre las rocas, de piedra.
¡Malo!

LXXXV

¿Tu verdad? No, la Verdad,
y ven conmigo a buscarla.
La tuya, guárdatela.

LXXXVI

Tengo a mis amigos
en mi soledad;
cuando estoy con ellos
¡qué lejos están!

LXXXVII

¡Oh Guadalquivir!
Te vi en Cazorla nacer;
hoy, en Sanlúcar morir.
Un borbollón de agua clara,
debajo de un pino verde,
eras tú, ¡qué bien sonabas!

Como yo, cerca del mar,
río de barro salobre,
¿sueñas con tu manantial?

LXXXVIII

El pensamiento barroco
pinta virutas de fuego,
hincha y complica el decoro.

LXXXIX

Sin embargo ...
               —Oh, sin embargo,
hay siempre un ascua de veras
en su incendio de teatro.

XC

¿Ya de su color se avergüenzan
las hojas de la albahaca,
salvias y alhucemas?

XCI

Siempre en alto, siempre en alto.
¿Renovación? Desde arriba.
Dijo la cucaña al árbol.

XCII

Dijo el árbol: Teme al hacha,
palo clavado en el suelo:
contigo la poda es tala.

XCIII

¿Cuál es la verdad? ¿El río
que fluye y pasa
donde el barco y el barquero
son también ondas del agua?

¿O este soñar del marino
siempre con ribera y ancla?

XCIV

Doy consejo, a fuer de viejo:
nunca sigas mi consejo.

XCV

Pero tampoco es razón
desdeñar
consejo que es confesión.

XCVI

¿Ya sientes la savia nueva?
Cuida, arbolillo,
que nadie lo sepa.

XCVII

Cuida de que no se entere
la cucaña seca
de tus ojos verdes.

XCVIII

Tu profecía, poeta.
—Mañana hablarán los mudos:
el corazón y la piedra.

XCIX

—¿Mas el arte?...
                            —Es puro juego,
que es igual a pura vida,
que es igual a puro fuego.
Veréis el ascua encendida.

CLXII

PARERGON

Al gigante ibérico Miguel de Unamuno, por quien la España actual alcanza proceridad en el mundo.

LOS OJOS

I

Cuando murió su amada
pensó en hacerse viejo
en la mansión cerrada,
solo, con su memoria y el espejo
donde ella se miraba un claro día.
Como el oro en el arca del avaro,
pensó que guardaría
todo un ayer en el espejo claro.
Ya el tiempo para él no correría.

II

Mas, pasado el primer aniversario,
¿cómo eran —preguntó—, pardos o negros,
sus ojos? ¿Glaucos?... ¿Grises?
¿Cómo eran, ¡Santo Dios!, que no recuerdo?...

III

Salió a la calle un día
de primavera, y paseó en silencio
su doble luto, el corazón cerrado...
De una ventana en el sombrío hueco
vio unos ojos brillar. Bajó los suyos
y siguió su camino... ¡Como ésos!

CLXIII

EL VIAJE

—Niña, me voy a la mar.
—Si no me llevas contigo
te olvidaré, capitán.

En el puente de su barco
quedó el capitán dormido;
durmió soñando con ella;
¡Si no me llevas contigo! ...
Cuando volvió de la mar
trajo un papagayo verde.
¡Te olvidaré, capitán!
Y otra vez la mar cruzó
con su papagayo verde,
¡Capitán, ya te olvidó!

CLXIV

GLOSANDO A RONSARD Y OTRAS RIMAS

> Un poeta manda su retrato a
> una bella dama, que le había en-
> viado el suyo.

I

Cuando veáis esta sumida boca
que ya la sed ni inquieta, la mirada
tan desvalida (su mitad, guardada
en viejo estuche, es de cristal de roca),
    la barba que platea, y el estrago
del tiempo en la mejilla, hermosa dama,
diréis: ¿a qué volver sombra por llama,
negra moneda de joyel en pago?
    ¿Y qué esperáis de mí? Cuando a deshora
pasa un alba, yo sé que bien quisiera
el corazón su flecha más certera
    arrancar de la aljaba vengadora.
¿No es mejor saludar la primavera,
y devolver sus alas a la aurora?

II

Como fruta arrugada, ayer madura,
o como mustia rama, ayer florida,
y aun menos, en el árbol de mi vida,
es la imagen que os lleva esa pintura.

Porque el árbol ahonda en tierra dura,
en roca tiene su raíz prendida,
y si al labio no da fruta sabrida,
aún quiere dar al sol la que perdura.
    Ni vos gritéis desilusión, señora,
negando al día ese carmín risueño,
ni a la manera usada, en el ahora
    pongáis, cual negra tacha, el turbio ceño.
Tomad arco y aljaba —¡oh cazadora!—
que ya es el alba: despertad del sueño.

III

Pero si os place amar vuestro poeta,
que vive en la canción, no en el retrato,
¿no encontraréis en su perfil beato
conjuro de esa fúnebre careta?
    Buscad del hondo cauce agua secreta,
del campanil que enronqueció a rebato
la víspera dormida, el timorato
pensando amor en hora recoleta.
    Desdeñad lo que soy; de lo que he sido
trazad con firme mano la figura:
galán de amor soñado, amor fingido,
    por anhelo inventor de la aventura.
Y en vuestro sabio espejo —luz y olvido—
algo seré también vuestra criatura.

ESTO SOÑÉ

Que el caminante es suma del camino,
y en el jardín, junto del mar sereno,
le acompaña el aroma montesino,
ardor de seco henil en campo ameno;
    que de luenga jornada peregrino
ponía al corazón un duro freno,
para aguardar el verso adamantino
que maduraba el alma en su hondo seno.
    Esto soñé. Y del tiempo, el homicida,
que nos lleva a la muerte o fluye en vano,
que era un sueño no más del adanida.

Y un hombre vi que en la desnuda mano
mostraba al mundo el ascua de la vida,
sin cenizas el fuego heraclitano.

EL AMOR Y LA SIERRA

Cabalgaba por agria serranía,
una tarde, entre roca ceniceinta.
El plomizo balón de la tormenta
de monte en monte rebotar se oía.
    Súbito, al vivo resplandor del rayo,
se encabritó, bajo de un alto pino,
al borde de una peña, su caballo.
A dura rienda le tornó al camino.
    Y hubo visto la nube desgarrada,
y, dentro, la afilada cresterìa
de otra sierra más lueñe y levantada
—relámpago de piedra parecía—.
¿Y vio el rostro de Dios? Vio el de su amada.
Gritó: ¡Morir en esta sierra fría!

PIO BAROJA

En Londres o Madrid, Ginebra o Roma,
ha sorprendido, ingenuo paseante,
el mismo *taedium vitae* en vario idioma,
en múltiple careta igual semblante.
    Atrás las manos enlazadas lleva,
y hacia la tierra, al pasear, se inclina;
todo el mundo a su paso es senda nueva,
camino por desmonte o por rüina.
    Dio, aunque tardío, el siglo diecinueve
un ascua de su fuego al gran Baroja,
y otro siglo, al nacer, guerra le mueve,
    que enceniza su cara pelirroja.
De la rosa romántica, en la nieve,
él ha visto caer la última hoja.

AZORÍN

La roja tierra del trigal de fuego,
y del habar florido la fragancia,
y el lindo cáliz de azafrán manchego
amó, sin mengua de la lis de Francia.

¿Cúya es la doble faz, candor y hastío,
y la trémula voz y el gesto llano,
y esa noble apariencia de hombre frío
que corrige la fiebre de la mano?

No le pongáis, al fondo, la espesura
de aborrascado monte o selva huraña,
sino, en la luz de una mañana pura,

lueñe espuma de piedra, la montaña,
y el diminuto pueblo en la llanura,
¡la aguda torre en el azul de España!

RAMÓN PÉREZ DE AYALA

Lo recuerdo... Un pintor me lo retrata,
no en el lino, en el tiempo. Rostro enjuto,
sobre el rojo manchón de la corbata,
bajo el amplio sombrero; resoluto

el ademán, y el gesto petulante
—un si es no es— de mayorazgo en corte;
de bachelor en Oxford, o estudiante
en Salamanca, señoril el porte.

Gran poeta, el pacífico sendero
cantó que lleva a la asturiana aldea;
el mar polisonoro y sol de Homero

le dieron ancho ritmo, clara idea;
su innúmero camino el mar ibero,
su propio navegar, propia Odisea.

EN LA FIESTA DE GRANDMONTAGNE

Leído en el Mesón del Segoviano.

I

Cuenta la historia que un día,
buscando mejor España,

Grandmontagne se partía
de una tierra de montaña,
de una tierra
de agria sierra.
¿Cuál? No sé. ¿La serranía
de Burgos? ¿El Pirineo?
¿Urbión donde el Duero nace?
Averiguadlo. Yo veo
un prado en que el negro toro
reposa, y la oveja pace
entre ginestas de oro;
y unos altos, verdes pinos;
más arriba, peña y peña,
y un rubio mozo que sueña
con caminos,
en el aire, de cigüeña,
entre montes, de merinos,
con rebaños trashumantes
y vapores de emigrantes
a pueblos ultramarinos.

II

Grandmontagne saludaba
a los suyos, en la popa
de un barco que se alejaba
del triste rabo de Europa.
Tras de mucho devorar
caminos de mar profundo,
vio las estrellas brillar
sobre la panza del mundo.
Arribado a un ancho estuario,
dio en la argentina Babel.
Él llevaba un diccionario
y siempre leía en él:
era su devocionario.
Y en la ciudad —no en el hampa—
y en la Pampa
hizo su propia conquista.
El cronista
de dos mundos, bajo el sol,
el duro pan se ganaba

y, de noche, fabricaba
su magnífico español.
    La faena trabajosa,
y la mar y la llanura,
caminata o singladura,
siempre larga,
diéronle, para su prosa,
viento recio, sal amarga,
y la amplia línea armoniosa
del horizonte lejano.
    Llevó del monte dureza,
calma le dio el oceano
y grandeza;
y de un pueblo americano
donde florece la hombría
nos trae la fe y la alegría
que ha perdido el castellano.

III

    En este remolino de España, rompeolas
de las cuarenta y nueve provincias españolas
(Madrid del cucañista, Madrid del pretendiente)
y en un mesón antiguo, y entre la poca gente
—¡tan poca!— sin librea, que sufre y que trabaja,
y aún corta solamente su pan con su navaja,
por Grandmontagne alcemos la copa. Al suelo indiano,
ungido de las letras embajador hispano,
"ayant pour tout laquais votre ombre seulement"
os vais, buen caballero... Que Dios os dé su mano,
que el mar y el cielo os sean propicios, capitán.

A DON RAMÓN DEL VALLE-INCLÁN

    Yo era en mis sueños, don Ramón, viajero
del áspero camino, y tú, Caronte
de ojos de llama, el fúnebre barquero
de las revueltas aguas de Aqueronte.
    Plúrima barba al pecho te caía.
(Yo quise ver tu manquedad en vano.)
Sobre la negra barca aparecía
tu verde senectud de dios pagano.

Habla, dijiste, y yo: cantar quisiera
loor de tu Don Juan y tu paisaje,
en esta hora de verdad sincera.
   Porque faltó mi voz en tu homenaje,
permite que en la pálida ribera
te pague en áureo verso mi barcaje.

AL ESCULTOR EMILIANO BARRAL

   ... Y tu cincel me esculpía
en una piedra rosada,
que lleva una aurora fría
eternamente encantada.
Y la agria melancolía
de una soñada grandeza,
que es lo español (fantasía
con que adobar la pereza),
fue surgiendo de esa roca,
que es mi espejo,
línea a línea, plano a plano,
y mi boca de sed poca,
y, so el arco de mi cejo,
dos ojos de un ver lejano,
que yo quisiera tener
como están en tu escultura:
cavados en piedra dura,
en piedra, para no ver.

Madrid, 1922.

A JULIO CASTRO

   Desde las altas tierras donde nace
un largo río de la triste Iberia,
del ancho promontorio de Occidente
—vasta lira, hacia el mar, de sol y piedra—,
con el milagro de tu verso, he visto
mi infancia marinera,
que yo también, de niño, ser quería
pastor de olas, capitán de estrellas.

Tú vives, yo soñaba;
pero a los dos, hermano, el mar nos tienta.
En cada verso tuyo
hay un golpe de mar, que me despierta
a sueños de otros días,
con regalo de conchas y de perlas.
Estrofa tienes como vela hinchada
de viento y luz, y copla donde suena
la caracola de un tritón, y el agua
que le brota al delfín en la cabeza.
¡Roncas sirenas en la bruma! ¡Faros
de puerto que en la noche parpadean!
¡Trajín de muelle y algo más! Tu libro
dice lo que la mar nunca revela:
la historia de riberas florecidas
que cuenta el río al anegarse en ella.
De buen marino, ¡oh Julio!
—no de marino en tierra.
sino a bordo—, bitácora es tu verso
donde sonríe el norte a la tormenta.

Dios a tu copla y a tu barco guarde
seguro el ritmo, firmes las cuadernas,
y que del mar y del olvido triunfen,
poeta y capitán, nave y poema.

EN TREN

FLOR DE VERBASCO

> A los jóvenes poetas que me
> honraron con su visita en Segovia.

Sanatorio del alto Guadarrama,
más allá de la roca cenicienta
donde el chivo barbudo se encarama,
mansión de noche larga y fiebre lenta,
¿guardas mullida cama,
bajo seguro techo,
donde repose el huésped dolorido
del labio exangüe y el angosto pecho,
amplio balcón al campo florecido?

¡Hospital de la sierra!...
                           El tren, ligero,
rodea el monte y el pinar; emboca
por un desfiladero,
ya pasa al borde de tajada roca,
ya enarca, enhila o su convoy ajusta
al serpear de su carril de acero.
Por donde el tren avanza, sierra augusta,
yo te sé peña a peña y rama a rama;
conozco el agrio olor de tu romero,
vi la amarilla flor de tu retama;
los cantuesos morados, los jarales
blancos de primavera; muchos soles
incendiar tus desnudos berrocales,
reverberar en tus macizas moles.
Mas hoy, mientras camina
el tren, en el saber de tus pastores
pienso no más y —perdonad, doctores—
rememoro la vieja medicina.
¿Ya no se cuecen flores de verbasco?
¿No hay milagros de hierba montesina?
¿No brota el agua santa del peñasco?

                           *

      Hospital de la sierra, en tus mañanas
de auroras sin campanas,
cuando la niebla va por los barrancos
o, desgarrada en el azul, enreda
sus guedejones blancos
en los picos de la áspera roqueda;
cuando el doctor —sienes de plata— advierte
los gráficos del muro y examina
los diminutos pasos de la muerte,
del áureo microscopio en la platina,
oirán en tus alcobas ordenadas,
orejas bien sutiles,
hundidas en las tibias almohadas,
el trajinar de estos ferrocarriles.
. . . .

Lejos, Madrid se otea.
Y la locomotora
resuella, silba, humea
y su riel metálico devora,
ya sobre el ancho campo que verdea.
Mariposa montés, negra y dorada,
al azul de la abierta ventanilla
ha asomado un momento, y remozada,
una encina, de flor verdiamarilla ...
Y pasan chopo y chopo en larga hilera,
los almendros del huerto junto al río ...
Lejos quedó la amarga primavera
de la alta casa en Guadarrama frío.

BODAS DE FRANCISCO ROMERO

Porque leídas fueron
las palabras de Pablo,
y en este claro día
hay ciruelos en flor y almendros rosados
y torres con cigüeñas,
y es aprendiz de ruiseñor todo pájaro,
y porque son las bodas de Francisco Romero,
cantad conmigo: ¡*Gaudeamus!*
Ya el ceño de la turbia soltería
se borrará en dos frentes ¡*fortunati ambo!*
De hoy más sabréis, esposos,
cuánto la sed apaga el limpio jarro,
y cuánto lienzo cabe
dentro de un cofre, y cuántos
son minutos de paz, si el ahora vierte
su eternidad menuda grano a grano.
Fundación del querer vuestros amores
—nunca olvidéis la hipérbole del vándalo—
y un mundo cada día, pan moreno
sobre manteles blancos.
De hoy más la tierra sea
vega florida a vuestro doble paso.

SOLEDADES A UN MAESTRO

I

No es profesor de energía
Francisco de Icaza,
sino de melancolía.

II

De su raza vieja
tiene la palabra corta,
honda la sentencia.

III

Como el olivar,
mucho fruto lleva,
poca sombra da.

IV

En su claro verso
se canta y medita
sin grito ni ceño.

V

Y en perfecto rimo
—así a la vera del agua
el doble chopo del río—.

VI

Sus cantares llevan
agua de remanso,
que parece quieta.
    Y que no lo está;
mas no tiene prisa
por ir a la mar.

VII

Tienen sus canciones
aromas y acíbar
de viejos amores.

Y del indio sol
madurez de fruta
de rico sabor.

VIII

Francisco de Icaza,
de la España vieja
y de Nueva España,
que en áureo centén
se graben tu lira
y tu perfil de virrey.

A EUGENIO D'ORS

Un amor que conversa y que razona,
sabio y antiguo —diálogo y presencia—,
nos trajo de su ilustre Barcelona;
y otro, distancia y horizonte: ausencia,
que es alma, a nuestro modo, le ofrecimos.
Y él aceptó la oferta, porque sabe
cuánto de lejos cerca le tuvimos,
y cuánto exilio en la presencia cabe.
Hoy, Xenius, hacia ti, viejo milano
las anchas alas en el aire ha abierto,
y una mata de espliego castellano
lleva en el pico a tu jardín diserto
—mirto y laureles— desde el alto llano
en donde el viento cimbra el chopo yerto.

Avila, 1921.

LOS SUEÑOS DIALOGADOS

I

¡Cómo en alto llano tu figura
se me aparece!... Mi palabra evoca
el prado verde y la árida llanura,
la zarza en flor, la ceniciento roca.
Y al recuerdo obediente, negra encina
brota en el cerro, baja el chopo al río;

el pastor va subiendo a la colina;
brilla un balcón en la ciudad: el mío,
    el nuestro. ¿Ves? Hacia Aragón, lejana,
la sierra de Moncayo, blanca y rosa...
Mira el incendio de esa nube grana,
    y aquella estrella en el azul, esposa.
Tras el Duero, la loma de Santana
se amorata en la tarde silenciosa.

II

    ¿Por qué, decísme, hacia los altos llanos
huye mi corazón de esta ribera,
y en tierra labradora y marinera
suspiro por los yermos castellanos?
    Nadie elige su amor. Llevóme un día
mi destino a los grises calvijares
donde ahuyenta al caer la nieve fría
las sombras de los muertos encinares.
    De aquel trozo de España, alto y roquero,
hoy traigo a ti, Guadalquivir florido,
una mata del áspero romero.
    Mi corazón está donde ha nacido,
no a la vida, al amor, cerca del Duero...
¡El muro blanco y el ciprés erguido!

III

    Las ascuas de un crepúsculo, señora,
rota la parda nube de tormenta,
han pintado en la roca cenicienta
de lueñe cerro un resplandor de aurora.
    Una aurora cuajada en roca fría,
que es asombro y pavor del caminante
más que fiero león en claro día
o en garganta de monte osa gigante.
    Con el incendio de un amor, prendido
al turbio sueño de esperanza y miedo,
yo voy hacia la mar, hacia el olvido
    —y no como a la noche ese roquedo,
al girar del planeta ensombrecido—.
No me llaméis, porque tornar no puedo.

IV

¡Oh soledad, mi sola compañía,
oh musa del portento, que el vocablo
diste a mi voz que nunca te pedía!,
responde a mi pregunta: ¿con quién hablo?
 Ausente de ruidosa mascarada,
divierto mi tristeza sin amigo,
contigo, dueña de la faz velada,
siempre velada al dialogar conmigo.
 Hoy pienso: este que soy será quien sea;
no es ya mi grave enigma este semblante
que en el íntimo espejo se recrea,
 sino el misterio de tu voz amante.
Descúbreme tu rostro, que yo vea
fijos en mí tus ojos de diamante.

DE MI CARTERA

I

Ni mármol duro y eterno,
ni música ni pintura,
sino palabra en el tiempo.

II

Canto y cuento es la poesía.
Se canta una viva historia,
contando su melodía.

III

Crea el alma sus riberas;
montes de ceniza y plomo,
sotillos de primavera.

IV

Toda la imaginería
que no ha brotado del río,
barata bisutería.

V

Prefiere la rima pobre,
la asonancia indefinida.
Cuando nada cuenta el canto,
acaso huelga la rima.

VI

Verso libre, verso libre...
Líbrate, mejor, del verso
cuando te esclavice.

VII

La rima verbal y pobre,
y temporal, es la rica.
El adjetivo y el nombre,
remansos del agua limpia,
son accidentes del verbo
en la gramática lírica.
del Hoy que será Mañana,
del Ayer que es Todavía.

1924.

CLXV

SONETOS

I

Tuvo mi corazón, encrucijada
de cien caminos, todos pasajeros,
un gentío sin cita ni posada,
como en andén ruidoso de viajeros.

Hizo a los cuatro vientos su jornada,
disperso el corazón por cien senderos
de llana tierra o piedra aborrascada,
y a la suerte, en el mar, de cien veleros.

Hoy, enjambre que torna a su colmena
cuando el bando de cuervos enronquece
en busca de su peña denegrida,

vuelve mi corazón a su faena,
con néctares del campo que florece
y el luto de la tarde desabrida.

II

Verás la maravilla del camino,
camino de soñada Compostela
—¡oh monte lila y flavo!—, peregrino,
en un llano, entre chopos de candela.
Otoño con dos ríos ha dorado
el cerco del gigante centinela
de piedra y luz, prodigio torreado
que en el azul sin mancha se modela.
Verás en la llanura una jauría
de agudos galgos y un señor de caza,
cabalgando a lejana serranía,
vano fantasma de una vieja raza.
Debes entrar cuando en la tarde fría
brille un balcón de la desierta plaza.

III

¿Empañé tu memoria? ¡Cuántas veces!
La vida baja como un ancho río,
y cuando lleva al mar alto navío
va con cieno verdoso y turbias heces.
Y más si hubo tormenta en sus orillas,
y él arrastra el botín de la tormenta,
si en su cielo la nube cenicienta
se incendió de centellas amarillas.
Pero aunque fluya hacia la mar ignota,
es la vida también agua de fuente
que de claro venero, gota a gota,
o ruidoso penacho de torrente,
bajo el azul, sobre la piedra brota.
Y allí suena tu nombre ¡eternamente!

IV

Esta luz de Sevilla ... Es el palacio
donde nací, con su rumor de fuente,
Mi padre, en su despacho. —La alta frente,
la breve mosca, y el bigote lacio—.
Mi padre. Lee, escribe, hojea
sus libros y medita. Se levanta;
va hacia la puerta del jardín. Pasea.

A veces habla solo, a veces canta.
 Sus grandes ojos de mirar inquieto
ahora vagar parecen, sin objeto
donde puedan posar, en el vacío.
 Ya escapan de su ayer a su mañana;
ya miran en el tiempo, ¡padre mío!,
piadosamente mi cabeza cana.

V

 Huye del triste amor, amor pacato,
sin peligro, sin venda ni aventura,
que espera del amor prenda segura,
porque en amor locura es lo sensato.
 Ese que el pecho esquiva al niño ciego
y blasfemó del fuego de la vida,
de una brasa pensada, y no encendida,
quiere ceniza que le guarde el fuego.
 Y ceniza hallará, no de su llama,
cuando descubra el torpe desvarío
que pedía, sin flor, fruto en la rama.
 Con negra llave el aposento frío
de su tiempo abrirá. ¡Desierta cama,
y turbio espejo y corazón vacío!

CLXVI

VIEJAS CANCIONES

I

 A la hora del rocío,
de la niebla salen
sierra blanca y prado verde.
¡El sol en los encinares!
 Hasta borrarse en el cielo,
suben las alondras.
¿Quién puso plumas al campo?
¿Quién hizo alas de tierra loca?
 Al viento, sobre la sierra,
tiene el águila dorada
las anchas alas abiertas.

Sobre la picota
donde nace el río,
sobre el lago de turquesa
y los barrancos de verdes pinos;
sobre veinte aldeas,
sobre cien caminos...
    Por los senderos del aire,
señora águila,
¿dónde vais a todo vuelo tan de mañana?

II

    Ya había un albor de luna
en el cielo azul.
¡La luna en los espartales,
cerca de Alicún!
Redonda sobre el alcor,
y rota en las turbias aguas
del Guadiana menor.
    Entre Úbeda y Baeza
—loma de las dos hermanas;
Baeza, pobre y señora;
Úbeda, reina y gitana—,
Y en el encinar
¡luna redonda y beata,
siempre conmigo a la par!

III

    Cerca de Úbeda la grande,
cuyos cerros nadie verá,
me iba siguiendo la luna
sobre el olivar.
    Una luna jadeante,
siempre conmigo a la par.
    Yo pensaba: ¡bandoleros
de mi tierra!, al caminar
en mi caballo ligero.
¡Alguno conmigo irá!
    Que esta luna me conoce
y, con el miedo, me da
el orgullo de haber sido
alguna vez capitán.

IV

En la sierra de Quesada
hay un águila gigante,
verdosa, negra y dorada,
siempre las alas abiertas.
Es de piedra y no se cansa.
    Pasado Puerto Lorente,
entre las nubes galopa
el caballo de los montes.
Nunca se cansa: es de roca.
    En el hondón del barranco
se ve al jinete caído,
que alza los brazos al cielo.
Los brazos son de granito.
    Y allí donde nadie sube
hay una virgen risueña
con un río azul en brazos.
Es la Virgen de la Sierra.

POESÍAS DE "SOLEDADES"

[1898-1907]

CLXVII

LA FUENTE

Desde la boca de un dragón caía
en la espalda desnuda
del Mármol del Dolor
—soñada en piedra contorsión ceñuda—
la carcajada fría
del agua, que a la pila descendía
con un frívolo, erótico rumor.
  Caía al claro rebosar riente
de la taza, y cayendo, diluía
en la planicie muda de la fuente
la risa de sus ondas de ironía.
Del tosco mármol la arrugada frente
hasta el hercúleo pecho se abatía.
  Misterio de la fuente, en ti las horas
sus redes tejen de invisible hiedra;
cautivo en ti, mil tardes soñadoras
el símbolo adoré de agua y piedra.
  Aún no comprendo el mágico sonido
del agua, ni del mármol silencioso
el cejijunto gesto contorcido
y el éxtasis convulso y doloroso.
  Pero una doble eternidad presiento
que en mármol calla y en cristal murmura
alegre copla equívoca y lamento

de una infinita y bárbara tortura.
Y doquiera que me halle, en mi memoria
—sin que mis pasos a la fuente guíe—,
el símbolo enigmático aparece...
y alegre el agua brota y salta y ríe,
y el ceño del titán se entenebrece.

　　Hay amores extraños en la historia
de mi largo camino sin amores,
y el mayor es la fuente,
cuyo dolor anula mis dolores,
cuyo lánguido espejo sonriente
me desarma de brumas y rencores.

　　La vieja fuente adoro;
el sol la surca de alamares de oro,
la tarde la cairela de escarlata
y de arabescos fúlgidos de plata.
Sobre ella el cielo tiende
su loto azul más puro;
y cerca de ella el amarillo esplende
del limonero entre el ramaje oscuro.

　　Misterio de la fuente, en ti las horas
sus redes tejen de invisible hiedra;
cautivo en ti, mil tardes soñadoras
el símbolo adoré de agua y piedra;
el rebosar de tu marmórea taza,
el claro y loco borbollar riente
en el grave silencio de la plaza,
y el ceño torvo del titán doliente.

　　Y en ti soñar y meditar querría
libre ya del rencor y la tristeza,
hasta sentir, sobre la piedra fría,
que se cubre de musgo mi cabeza.

CLXVIII

INVIERNO

　　Hoy la carne aterida
el rojo hogar en el rincón oscuro
busca medrosa. El huracán frenético
ruge y silba, y el árbol esquelético

se abate en el jardín y azota el muro.
Llueve. Tras el cristal de la ventana,
turbio, la tarde parda y rencorosa
se ve flotar en el paisaje yerto,
y la nube lejana
suda amarilla palidez de muerto.
El cipresal sombrío
lejos negrea, y el pinar menguado,
que se esfuma en el aire achubascado,
se borra al pie del Guadarrama frío.

CLXIX

CENIT

Me dijo el agua clara que reía,
bajo el sol, sobre el mármol de la fuente:
si te inquieta el enigma del presente
aprende el son de la salmodia mía.
Escucha bien en tu pensil de Oriente
mi alegre canturía,
que en los tristes jardines de Occidente
recordarás mi risa clara y fría.
Escucha bien que hoy dice mi salterio
su enigma de cristal a tu misterio
de sombra, caminante: Tu destino
será siempre vagar, ¡oh peregrino
del laberinto que tu sueño encierra!
Mi destino es reír: sobre la tierra
yo soy la eterna risa del camino.

CLXX

EL MAR TRISTE

Palpita un mar de acero de olas grises
dentro los toscos murallones roídos
del puerto viejo. Sopla el viento norte
y riza el mar. El triste mar arrulla
una ilusión amarga con sus olas grises.

El viento norte riza el mar, y el mar azota
el murällón del puerto.
Cierra la tarde el horizonte
anubarrado. Sobre el mar de acero
hay un cielo de plomo.
El rojo bergantín es un fantasma
sangriento, sobre el mar, que el mar sacude...
Lúgubre zumba el viento norte y silba triste
en la agria lira de las jarcias recias.
El rojo bergantín es un fantasma
que el viento agita y mece el mar rizado,
el fosco mar rizado de olas grises.

CLXXI

CREPÚSCULO

Caminé hacia la tarde de verano
para quemar, tras el azul del monte,
la mirra amarga de un amor lejano
en el ancho flamígero horizonte.
Roja nostalgia el corazón sentía,
sueños bermejos, que en el alma brotan
de lo inmenso inconsciente,
cual de región caótica y sombría
donde ígneos astros, como nubes, flotan,
informes, en un cielo lactescente.
Caminé hacia el crepúsculo glorioso,
congoja del estío, evocadora
del infinito ritmo misterioso
de olvidada locura triunfadora
De locura adormida, la primera
que al alma llega y que del alma huye,
y la sola que torna en su carrera
si la agria ola del ayer refluye.
La soledad, la musa que el misterio
revela al alma en sílabas preciosas
cual notas de recóndito salterio,
los primeros fantasmas de la mente
me devolvió, a la hora en que pudiera,
caída sobre la ávida pradera

o sobre el seco matorral salvaje,
un ascua del crepúsculo fulgente,
tornar en humo el árido paisaje.
Y la inmensa teoría
de gestos victoriosos
de la tarde rompía
los cárdenos nublados congojosos.
Y muda caminaba
en polvo y sol envuelta, sobre el llano,
y en confuso tropel, mientras quemaba
sus inciensos de púrpura el verano.

CLXXII

OTOÑO

El cárdeno otoño
no tiene leyendas
para mí. Los salmos
de las frondas muertas,
jamás he escuchado,
que el viento se lleva.
Yo no sé los salmos
de las hojas secas,
sino el sueño verde
de la amarga tierra.

CLXXIII

"DIME, ILUSIÓN ALEGRE"

Dime, ilusión alegre,
¿dónde dejaste tu ilusión hermana,
la niña de ojos trémulos
cual roto sol en una alberca helada?
Era más rubia que los rubios linos.
Era más blanca que las rosas blancas.
Una mañana tibia sonreía
en su carne nevada
dulce a los besos suaves.

Liviano son de cítaras lejanas,
triste como el suspiro de los bosques
cuando en la tarde fría el viento pasa,
hubo en su voz. Y luz en flor y sombra
de oro en sus cejas tímidas brillaba.
Yo la amé como a un sueño
de lirio en lontananza:
en las vísperas lentas, cuando suenan
más dulces las campanas,
y blancas nubes su vellón esparcen
sobre la espuma azul de la montaña.

CLXXIV

"SIEMPRE QUE SALE EL ALMA"

Siempre que sale el alma de la oscura
galería de un sueño de congoja,
sobre un campo de luz tiende la vista
que un frío sol colora.
Surge el hastío de la luz; las vagas,
confusas, turbias formas
que poblaban el aire, se disipan,
ídolos del poeta, nebulosas
amadas de las vísperas carmíneas
que un sueño engendra y un oriente borra.
Y a martillar de nuevo el agrio hierro
se apresta el alma en las ingratas horas
de inútil laborar, mientras sacude
lejos la negra ola
de misteriosa marcha,
su penacho de espuma silenciosa...
¡Criaderos de oro lleva
en su vientre de sombra!...

CLXXV

PRELUDIO

El pífano de abril sonó en mi oído
lento, muy lento y sibilante y suave...

De la campana resonó el tañido
como un suspiro seco y sordo y grave.
El pífano de abril lento decía:
Tu corazón verdece,
tu sueño está ya en flor. Y el son plañía
de la campana: Hoy a la sombra crece
de tu sueño también, la flor sombría.

CLXXVI

LA TARDE EN EL JARDÍN
(FRAGMENTO)

Era una tarde de un jardín umbrío,
donde blancas palomas arrullaban
un sueño inerte, en el ramaje frío.
Las fuentes melancólicas cantaban.
El agua un tenue sollozar riente
en las alegres gárgolas ponía
y por estrecho surco, a un son doliente,
entre verdes evónimos corría.
Era un rincón de olvido y sombra y rosas
frescas y blancas entre lirios. Era
donde pulsa en las liras olorosas
recónditas rapsodias primavera,
y más lejos se ve que el sol esplende
oculto tras la tapia ennegrecida,
que el aire sueña, donde el campo tiende
su muda, alegre soledad florida.
¡Noble jardín, pensé, verde salterio
que eternizas el alma de la tarde,
y llevas en tu sombra de misterio
estrecho ritmo al corazón cobarde
y húmedo aroma al alma!, en tus veredas
silenciosas, mil sueños resucitan
de un ayer, y en tus anchas alamedas
claras, los serios mármoles meditan
inmóviles secretos verticales
más graves que el silencio de tus plazas,
donde sangran amores los rosales
y el agua duerme en las marmóreas tazas.

Secretos viejos del fantasma hermano
que a la risa del campo, el alto muro
dictó y la amarga simetría al llano
donde hoy se yergue el cipresal oscuro,
el sauce llora y el laurel cimbrea,
el claror de los álamos desmaya
en el ambiente atónito y verdea
en el estanque el esplendor del haya.
Cantar tu paz en sombra, parque, el sueño
de tus fuentes de mármol, el murmullo
de tus cantoras gárgolas risueño,
de tus blancas palomas el arrullo,
fuera el salmo cantar de los dolores
que mi orgulloso corazón encierra:
otros dolores buscan otras flores,
otro amor, otro parque en otra tierra.

Abandoné el jardín, sueño y aroma,
bajo la paz del tibio azul celeste.
Orlaba lejos de oro el sol la loma;
el retamar daba su olor agreste.

Corva la luna, blanca y soñolienta,
sobre la clara estrella solitaria,
iba trazando en el azul la lenta
ingrávida mitad de su plegaria.

CLXXVII

NOCTURNO

A Juan Ramón Jiménez.

. . . . . .
berce sur l'azur qu' un vent douce effleure
l'arbre qui frissonne et l'oiseau qui pleure.
Verlaine

Sobre el campo de abril la noche ardía
de gema en gema en el azul... El viento
un doble acorde en su laúd tañía
de tierra en flor y sideral lamento.
Era un árbol sonoro en la llanura,
dulce cantor del campo silencioso,
que guardaba un silencio de amargura
ahogado en el ramaje tembloroso.

Era un árbol cantor, negro y de plata
bajo el misterio de la luna bella,
vibrante de una oculta serenata,
como el salmo escondido de una estrella.
Y era el beso del viento susurrante,
y era la brisa que las ramas besa,
y era el agudo suspirar silbante
del mirlo oculto entre la fronda espesa.
Mi corazón también cantara el almo
salmo de abril bajo la luna clara,
y del árbol cantor el dulce salmo
en un temblor de lágrimas copiara
—que hay en el alma un sollozar de oro
que dice grave en el silencio el alma,
como un silbante suspirar sonoro
dice el árbol cantor la noche en calma—
si no tuviese mi almo un ritmo estrecho
para cantar de abril la paz en llanto,
y no sintiera el salmo de mi pecho
saltar con eco de cristal y espanto.

CLXXVIII

NEVERMORE

¡Amarga primavera!
¡Amarga luz a mi rincón oscuro!
Tras la cortina de mi alcoba, espera
la clara tarde bajo el cielo puro.
En el silencio turbio de mi espejo
miro, en la risa de mi ajuar ya viejo,
la grotesca ilusión. Y del lejano
jardín escucho un sollazar riente:
trémula voz del agua que borbota
alegre de la gárgola en la fuente,
entre verdes evónimos ignota.
Rápida silba, en el azur ingrave,
tras de la tenue gasa,
si oscura banda, en leve sombra suave,
de golondrinas pasa.
Lejos miente otra fiesta el campanario,

tañe el bronce de luz en el misterio,
y hay más allá un plañido solitario
cual nota de recóndito salterio.
¡Salmodías de abril, música breve,
sibilación escrita
en el silencio de cien mares: leve
aura de ayer que túnicas agita!
¡Espíritu de ayer!, ¡sombra velada,
que prometes tu lecho hospitalario
en la tarde que espera luminosa!,
¡fugitiva sandalia arrebatada,
tenue, bajo la túnica de rosa!

* * *

¡Fiesta de abril que al corazón esconde
amargo pasto, la campana tañe!...
¡Fiesta de abril!... Y el eco le responde
un nunca más, que dolorido plañe.
Tarde vieja en el alma y virgen: miente
el agua de tu gárgola riente,
la fiesta de tus bronces de alegría;
que en el silencio turbio de mi espejo
ríe, en mi ajuar ya viejo,
la grotesca ilusión. Lejana y fría
sombra talar, en el abril de ocaso
tu doble vuelo siento
fugitivo, y el paso
de tu sandalia equívoca en el viento.

CLXXIX

LA MUERTE

Aquel juglar burlesco
que, a son de cascabeles, me mostraba
el amargo retablo de la vida,
hoy cambió su botarga
por un traje de luto y me pregona
el sueño alegre de una alegre farsa.
Dije al juglar burlesco:
queda con Dios y tu retablo guarda.

Mas quisiera escuchar tus cascabeles
la última vez y el gesto de tu cara
guardar en la memoria, por si acaso
te vuelvo a ver, ¡canalla!...

CLXXX·

AL LIBRO "NINFEAS", DEL POETA
JUAN RAMÓN JIMÉNEZ

Un libro de amores,
de flores
fragantes y bellas,
de historias de lirios que amasen estrellas;
un libro de rosas tempranas
y espumas
de mágicos lagos en tristes jardines,
y enfermos jazmines,
y brumas
lejanas
de montes azules...
Un libro de olvido divino
que dice fragancia del alma, fragancia
que puede curar la amargura que da la distancia,
que sólo es el alma la flor del camino.
Un libro que dice la blanca quimera
de la primavera,
de gemas y rosas ceñida,
en una lejana, brumosa pradera
perdida...

Paris, junio de 1901.

CLXXXI

EL POETA RECUERDA A UNA MUJER
DESDE UN PUENTE DEL GUADALQUIVIR

Sobre la clara estrella del ocaso,
como un alfanje, plateada, brilla

la luna en el crepúsculo de rosa
y en el fondo del agua ensombrecida.
El río lleva un rumoroso acento
de sombra cristalina
bajo el puente de piedra. ¡Lento río,
que me cantas su nombre, el alma mía
quiere arrojar a tu corriente pura
la ramita más tierna y más florida,
que encienda primavera
en los verdes almendros de tu orilla!
　　Quiero verla caer, seguir, perderse
sobre tus ondas limpias.
Y he de llorar... Mi corazón contigo
flotará en tus rizadas lejanías.
　　¡Oh tarde como aquélla, y río lento
de sombra cristalina!...
Sobra la clara estrella del ocaso
la argéntea luna brilla.

CLXXXII·

Y ESTAS ·PALABRAS INCONEXAS

　　¡Oh, sola gracia de la amarga tierra,
rosal de aroma, fuente del camino!
Auras... ¡Amor! Bien haya primavera;
bien haya abril florido,
y el solo amado enjambre de mis sueños,
que labra miel al corazón sombrío.

CLXXXIII

"Y EN UNA TRISTE NOCHE"

　　Y en una triste noche me aguijaba
la pavorosa espuela de mis pasos...
Sentirse caminar sobre la tierra
cosa es que lleva al corazón espanto.
Y es que la tierra ha muerto... Está en la luna
el alma de la tierra
y en los luceros claros.

CLXXXIV

ARTE POÉTICA

Y en toda el alma hay una sola fiesta,
tú lo sabrás, Amor, sombra florida,
sueño de aroma, y luego... nada; andrajos,
rencor, filosofía.
Roto en tu espejo tu mejor idilio,
y vuelto ya de espaldas a la vida,
ha de ser tu oración de la mañana:
¡Oh para ser ahorcado, hermoso día!

CLXXXV

LUZ

A don Miguel de Unamuno, en prueba
de mi admiración y de mi gratitud.

¿Será tu corazón un harpa al viento,
que tañe el viento?... Sopla el odio y suena
tu corazón; sopla tu corazón y vibra...
¡Lástima de tu corazón, poeta!
¿Serás acaso un histrión, un mimo
de mojigangas huecas?
¿No borrarán el tizne de tu cara
lágrimas verdaderas?
¿No estallará tu corazón de risa,
pobre juglar de lágrimas ajenas?
　　Mas no es verdad... Yo he visto
una figura extraña,
que vestida de luto —¡y cuán grotesca!—
vino un día a mi casa.
—"De tizne y albayalde hay en mi rostro
cuanto conviene a una doliente farsa;
yo te daré la gloria del poeta,
me dijo, a cambio de una sola lágrima."
　　Y otro día volvió a pedirme risa
que poner en sus hueras carcajadas...
—"Hay almas que hacen un bufón sombrío

de su histrión de alegres mojigangas.
Pero en tu alma de verdad, poeta,
sean puro cristal risas y lágrimas;
sea tu corazón arca de amores,
vaso florido, sombra perfumada."

CLXXXVI

GALERÍAS

Yo he visto mi alma en sueños...
En el etéreo espacio
donde los mundos giran,
un astro loco, un raudo
cometa con los rojos
cabellos incendiados...
Yo he visto mi alma en sueños,
cual río plateado,
de rizas ondas lentas
que fluyen dormitando...
Yo he visto mi alma en sueños,
como un estrecho y largo
corredor tenebroso,
de fondo iluminado...
Acaso mi alma tenga
risueña luz de campo,
y sus aromas lleguen
de allá, del fondo claro...
Yo he visto mi alma en sueños...
Era un desierto llano
y un árbol seco y roto
hacia el camino blanco.

CLXXXVII

SOLEDADES

I

O que yo pueda asesinar un día
en mi alma, al despertar, esa persona
que me hizo el mundo mientras yo dormía.

II

O que el amor me lleve
donde llorar yo pueda...
Y lejos de mi orgullo
y a solas con mi pena.

III

Y si me da el amor fuego y aroma
para quemar el alma,
¿no apagará la hoguera el agrio zumo
que el vaso turbio de mi sueño guarda?

IV

Vuela, vuela a la tarde
y exprime el agrio jugo
del corazón, poeta,
y arroja al aire en sombra el vaso turbio...

V

Tu alma será una hoguera
en el azul invierno aterecido
para aguardar la amada primavera.

CLXXXVIII

A JUAN RAMÓN JIMÉNEZ

LOS JARDINES DEL POETA

El poeta es jardinero. En sus jardines
corre sutil la brisa
con livianos acordes de violines,
llanto de ruiseñores,
ecos de voz lejana y clara risa
de jóvenes amantes habladores.
Y otros jardines tiene. Allí la fuente
le dice: Te conozco y te esperaba.

Y él, al verse en la onda transparente:
¡Apenas soy aquel que ayer soñaba!
Y otros jardines tiene. Los jazmines
añoran ya verbenas del estío,
y son liras de aroma estos jardines,
dulces liras que tañe el viento frío.
Y van pasando solitarias horas,
y ya las fuentes, a la luna llena,
suspiran en los mármoles, cantoras,
y en todo el aire sólo el agua suena.

CLXXXIX

CANTARES Y PROVERBIOS, SÁTIRAS Y EPIGRAMAS

Iam fuerit, nec post unquam revocare licebit.
LUCRECIO.

I

Cuando recordar no pueda,
¿dónde mi recuerdo irá?
Una cosa es el recuerdo
y otra cosa recordar.

II

Cuando la tierra se trague
lo que se traga la tierra,
habrá mi recuerdo alzado
el ancla de la ribera.

III

Recuerdos de mis amores,
quizás no debéis temblar:
cuando la tierra me trague,
la tierra os libertará.

CXC

ADIÓS

(1924)

Y nunca más la tierra de ceniza
a pisar volveré, que Duero abraza.
¡Oh loma de Santana, ancha y maciza;
placeta del Mirón, desierta plaza,
    con el sol de la tarde en mis balcones
nunca os veré! No me pidáis presencia;
las almas huyen para dar canciones:
alma es distancia y horizonte: ausencia.
    Mas quien escuche el agria melodía
con que divierto el corazón viajero
por estos campos de mi Andalucía,
    ya sabe manantial, cauce y reguero
del agua santa de la huerta mía.
¡No todas vais al mar, aguas del Duero!

CXCI

SONETO

    ¿En dónde, sobre piedra aborrascada.
vieja ciudad de pardo caserío
te he visto, y entre montes empinada?
Al fondo de un barranco suena un río.
    ¿Vieja ciudad, la luna amoratada
asoma, enorme, en el azul vacío
sobre tu fortaleza torreada?
¡Oh. ruina familiar de un sueño mío!
    Mas esos claros chopos de ribera
—¡cual vence una sonrisa un duro ceño!—
me tornan a un jardín de primavera,
    goces del sueño, al verdear risueño.
¡Rosa carmín y blanca arrebolera
también salís del fondo de mi sueño!

(1907. copiado en 1924)

CXCII

APUNTES, PARÁBOLAS, PROVERBIOS Y CANTARES

I

Si hablo, suena
mi propia voz como un eco,
y está mi canto tan hueco
que ya ni espanta mi pena.

II

Si me tengo que morir
poco me importa aprender.
Y si no puedo saber,
poco me importa vivir.

III

"¿Qué es amor?", me preguntaba
una niña. Contesté:
"Verte una vez y pensar
haberte visto otra vez."

IV

Pensar el mundo es como hacerlo nuevo
de la sombra o la nada, desustanciado y frío.
Bueno es pensar, decolorir el huevo
universal, sorberlo hasta el vacío.
Pensar: borrar primero y dibujar después,
y quien borrar no sabe camina en cuatro pies.
Una neblina opaca confunde toda cosa:
el monte, el mar, el pino, el pájaro, la rosa.
Pitágoras alarga a Cartesius la mano.
Es la extensión sustancia del universo humano.
Y sobre el lienzo blanco o la pizarra oscura
se pinta, en blanco o negro, la cifra o la figura.
Yo pienso (Un hombre arroja una traina al mar
y la saca vacía: no ha logrado pescar):

"No tiene el pensamiento traíñas sino amarras,
las cosas obedecen al peso de las garras",
exclama, y luego dice: "Aunque las presas son,
lo mismo que las garras, pura figuración."
Sobre la blanca arena aparece un caimán,
que muerde ahincadamente en el bronce de Kant.
Tus formas, tus principios y tus categorías,
redes que el mar escupe, enjutas y vacías.
Kratilo ha sonreído y arrugado Zenón
el ceño, adivinando a M. de Bergson.
Puedes coger cenizas del fuego heraclitano,
mas no apuñar la onda que fluye con tu mano.
Vuestras retortas, sabios, sólo destilan heces.
¡Oh machacad zurrapas en vuestros almireces!
Medir las vivas aguas del mundo..., ¡desvarío!
Entre las dos agujas de tu compás va el río.
La realidad es la vida fugaz, funambulesca,
el cigarrón voltario, el pez que nadie pesca.
Si quieres saber algo del mar, vuelve otra vez,
un poco pescador y un tanto pez.
En la barra del puerto bate la marejada,
y todo el mar resuena como una carcajada.

Puerto de Santa María. 1915.

CXCIII

TRES CANTARES ENVIADOS A UNAMUNO
EN 1913

I

Señor, me cansa la vida,
tengo la garganta ronca
de gritar sobre los mares,
la voz de la mar me asorda.
Señor, me cansa la vida
y el universo me ahoga.
Señor, me dejaste solo,
solo, con el mar a solas.

2

O tú y yo jugando estamos
al escondite, Señor,
o la voz con que te llamo
es tu voz.

3

Por todas partes te busco
sin encontrarte jamás,
y en todas partes te encuentro
sólo por irte a buscar.

CXCIV

APUNTES

I

Belerda tiene un pastor;
tiene Alicún su poeta;
Úbeda la plazoleta
del Desengaño Mayor...

II

Por que nadie te mirara,
me gustaría que fueras
monjita de Santa Clara.

III

Hora del último sol.
La damita de mis sueños
se asoma a mi corazón.

IV

Porque más vale no ver
fruta madura y dorada
que no se puede coger.

CXCV

PROVERBIOS Y CANTARES

En esta España de los pantalones
lleva la voz el macho;
mas si un negocio importa
lo resuelven las faldas a escobazos.

CXCVI

EN EL TIEMPO

1882-1890-1892

MI PADRE

Ya casi tengo un retrato
de mi buen padre, en el tiempo,
pero el tiempo se lo va llevando.
Mi padre, cazador —en la ribera
de Guadalquivir ¡en un día tan claro!—
—es el cañón azul de su escopeta
y del tiro certero el humo blanco.
Mi padre en el jardín de nuestra casa,
mi padre, entre sus libros, trabajando.
Los ojos grandes, la alta frente,
el rostro enjuto, los bigotes lacios.
Mi padre escribe (letra diminuta—)
medita, sueña, sufre, habla alto.
Pasea —oh padre mío ¡todavía!
estás ahí, el tiempo no te ha barrado.
Ya soy más viejo que eras tú, padre mío, cuando me besabas.
Pero en el recuerdo, soy también el niño que tú llevabas
                                                    [de la mano.
¡Muchos años pasaron sin que yo te recordara, padre mío!
¿Dónde estabas tú en esos años?

13 de marzo de 1916.

NUEVAS CANCIONES

(1917-1930)

CXCVII

PROVERBIOS Y CANTARES

Han tomado sus medidas
Sócrates y el Cristo ya:
el corazón y la mente
un mismo radio tendrán.
    Echa roncas todavía
el siglo decimonono,
con la cabeza vendada,
y los huesos rotos.

*

Ya es sólo brocal el pozo;
púlpito será mañana;
pasado mañana, trono.

*

Hombre occidental,
tu miedo al Oriente, ¿es miedo
a dormir o a despertar?

CXCVIII

APUNTES Y JARDINES

1

Jardines de mi infancia
de clara luz, que ya me enturbia el tiempo,
con las lluvias de... con el milagro
brillad, jardines, de los ojos nuevos.

Sevilla. 1919.

2

¡Oh, Puerto Real,
con tus casas blancas
para muñecas de rosa, Puerto Real,
y tus pinos verdes
cerca de la mar!

3

Muchas leguas de camino
hizo mi canción.
¿En busca de un espejo?
Buscando un corazón.

4

Tiocas tiene un ermitaño,
Belerda, más de un pastor,
Alicún, lindas caderas
y una fuente que brilla al sol.

CXCIX

"DE TANTO Y TANTO SOPLAR"

De tanto y tanto soplar
su flauta no suena ni
por casualidad.

CC

EL QUINTO DETENIDO Y LAS FUERZAS VIVAS

"El quinto detenido —dice *La Voz* del 24 de
agosto, al dar cuenta del crimen de Zaragoza,
perpetrado por un obrero, que dijo llamarse
Inocencio Domingo— es un individuo que se
presentó en la Comisaría llevando comida para
Inocencio."

El quinto detenido... Los graciosos
que juegan del vocablo

hacen su chiste en su café. Yo digo:
¡Oh santidad del pueblo! ¡Oh pueblo santo!

*

Cesaraugusta tiene
ira y sangre en las manos,
ira y piedad: —Vendas, camillas... ¡Pronto!
Voces: "¡A muerte el vil!" Gritos: "¡Picadlo!"

*

Cesaraugusta brama,
con su rejón clavado
como un toro en la arena.
Ya el asesino es un muñeco laxo
que las turbas arrollan, que las turbas
golpean. Puños. Palos.

Caballos y correas amarillas,
sables al sol, tricornios charolados.

*

Cesaraugusta tiene
clamor de plaza ante el balcón cerrado
de la Casa del Pueblo.
Como en Esquilo, trágicos
los brazos y las bocas...
No, es un furor judaico
que grita enronquecido:
"¡Muera la prole de Caín el Malo!"

*

Por una calle solitaria, un hombre
de blusa azul, el rostro mal rapado,
los ojos inocentes y tranquilos
y el corazón ligero, aprieta el paso.
Lleva en la mano diestra

un bulto envuelto en un pañuelo blanco.
Dobla la esquina.
                    —¿A dónde vas?
                                   —Le llevo.
un poco de comida a ese muchacho.

CCI

APUNTES Y CANCIONES

1

Como una ballesta,
en el aire azul,
hacia la torre mudéjar...

2

La cigüeña absorta,
sobre su nido de ramas,
mirando la tarde roja.

3

Primavera vino.
Violetas moradas,
almendros floridos.

4

Se abrasó en la llama
de una velita de cera
la mariposilla blanca.

5

¡Noches de Santa Teresa!
Ya no hay quien medita de noche
con las ventanas abiertas.

6

Los cuatro quicios del mundo
tienen ya
estrellitas nuevas
que brillando están.
  A nuevas estrellas, otros
bosquitos sobre la mar.

7

Y los bolcheviques
(sobran rejas y tabiques)
di, madre, ¿cuándo vendrán?
—Si te oye Don Lino,
¡válgame la Trinidad!
La honrada mocita
coser y esperar.

8

La fuente y las cuatro
acacias en flor
de la plazoleta.
Ya no quema el sol.
¡Tardecita alegre!
Canta, ruiseñor.
Es la misma hora
de mi corazón.
Por la calle arriba
—sombrero y bastón—
allá va Don Diego
a buscar amor.

9

Y aquella olivita vieja,
tan lejos del olivar,
cerca de la fuente clara,
¿qué hace allá?
Su madre, la de ojos verdes

la puso donde hoy está.
A la vera del camino,
para la sombra no más.

CCII

COPLAS ESPAÑOLAS

¡Ay, quién fuera pueblo
una vez no más!
Y una vez —¿quién lo sabría?—
curar esta soledad
entre los muchos amantes
como a las verbenas van
(¡albahacas de San Lorenzo,
fogaratas de San Juan!)
con el sueño de una
vida elemental.
Tú guardas el fuego,
yo gano el pan.
Y en esta noche de todos
tu mano en la mía está.

CCIII

OTRAS COPLAS

Otra vez el mundo antiguo,
sin pecado original;
el claro mundo de Homero.
Nausica vuelve a lavar
su ropa; las eleusinas,
hijas de Keleo, van
con ánforas a la fuente.
Dioses, ¡qué hermosas están!
Junto a los pozos partenios
Deméter vuelve a pasar.

CCIV

CAMINOS DEL ALTO DUERO

Campanero es mi novio
y a su campana.
porque Rosa me llamo,
Rosa la llama,
y a la cigüeña
le dice: que me traigas
noticias de ella.

CCV

OTOÑO

I

Hay una mano de niño
dispersa en la tarde gris,
o en la tarde gris se borra
una acuarela infantil.
Otoño tiene en el sueño
un iris de abril.
...no sueñes más, cazador
de escopeta y galgo.
Ya quiebra el albor.

II

Y es una mañana
tan coloradita
como una manzana.

III

En el lagar, rojo vivo;
agua en la pera madura,
oro en los chopos del río.

IV

¡Mas... ya seca tos,
y las hojas negras
en el ventarrón!

V

Golpe de martillo
en la negra nave,
la del galón amarillo;
y en los aros de un tonel
jocundo y panzón
para el vino nuevo
de tu corazón.

CCVI

SIMPATÍAS

Candidior postquam tondenti barba cadebat.
VIRGILIO: Égloga I.

¿Cúya es esta frente? ¿Cúyo
este mentón azulado?
¿Cúya esta boca sumida,
y estos ojos fatigados
de la letra diminuta
y de los montes lejanos?
Siempre mira el hombre al hombre
con piedad de su retrato.

Madrid, junio de 1922.

CCVII

CANCIÓN DE DESPEDIDA

Como se marcha el buen amigo,
y el melancólico bordón
pulsa Recuero en su guitarra,
cantad conmigo esta canción:
¡Torres de Segovia,
cigüeñas al sol!
Eduardo va de camino
por esos campos de Dios.
En los centenos amapolas,
en los zarzales blanca flor.
Verdad que el agua del Eresma
nos va lamiendo el corazón

y que al festín de mariposas
acude al negro abejarrón;
mas a la clara despedida
no le pongáis más de un bemol.
Y en esta tarde de verano
cantad a plena voz:
¡Torres de Segovia, etc...

Segovia, 1922.

CCVIII

PROVERBIOS Y CANTARES

I

Tres palabras suenan
al fin de tres sueños
y las tres desvelan.

II

Es la primera tu nombre;
la segunda, el nombre de ella...
Te daré más que me pidas
si me dices la tercera.

III

Ya de un tiempo heracliano
parece apagado el fuego.
Aún lleva un ascua en la mano.

IV

Enemigo
que por el amor me hieres,
brazo de Dios, ¡Dios contigo!

V

Mas dejemos
abstrusas filosofías.
Añoremos
—en esta Hesperia de Europa—
¡oh hermanos!, los viejos días
de un siglo de masa y tropa,
y de suspiros amargos.
y de pantalones largos,

y de sombreros de copa.
    Siglo struggle-for-lifista,
cucañista,
boxeador más que guerrero,
del vapor y del acero.
    Siglo disperso y gregario,
de la originalidad;
siglo multitudinario
que inventó la sociedad.
    Bajo el pintado carmín,
tuvo salud y alegría;
bajo su máscara fría,
fue del candor al esplín.
    Siglo que olvidó a Platón
y lapidó al Cristo vivo.
Wagner, el estudiantón,
le dio su homúnculo activo.
    Azotado y errabundo.
sensible y sensacional,
tuvo una fe: la esencial
acefalía del mundo.

CCIX

APUNTES LÍRICOS PARA UNA GEOGRAFÍA EMOTIVA DE ESPAÑA

1

    ¿En dónde, sobre piedra aborrascada,
vieja ciudad de pardo caserío.
te he visto, y entre montes empinada?
En la rota muralla, el viento frío.
    La luna amortajada
asoma, enorme, en el azul vacío
sobre la fortaleza torreada.
Al fondo del barranco suena el río.

2

    Por estas tierras de Andalucía,
¿no arrancan rejas los caballeros,
como Paredes, el gran forzudo,

dicen que hacía?
¿No hay bandoleros?
¿Diego Corrientes, Jaime el Barbudo,
José María,
con sus cuadrillas de escopeteros?
¡Oh, enjauladitas hembras hispanas,
desde que os ponen el traje largo,
cuán agria espera, qué tedio amargo
para vosotras, entre las rejas
de las ventanas,
de estas morunas ciudades viejas,
de estas celosas urbes gitanas!

1919.

ADIÓS, CAMPOS DE SORIA

3

Adiós, campos de Soria
donde las rocas sueñan,
cerros del alto llano,
y montes de ceniza y de violeta.
Adiós, ya con vosotros
quedó la flor más dulce de la tierra.
Ya no puedo cantaros,
no os canta ya mi corazón, os reza...

CCX

COPLAS POPULARES
Y NO POPULARES ANDALUZAS

1

¡El qué se quiere perder
—no todos quieren guardarse—
busca a la mujer!

2

Tres veces dormí contigo,
tres veces infiel me fuiste,
morena, conmigo mismo.

3

Pasó don Juan por tu calle,
y en tu balcón le dijeron:
suba un ratito, Don Nadie.

4

¡Linda dama de mis sueños
hablando siempre con otro,
con otro, sin darme celos!

5

¡Y esa gran placentería
de ruiseñores que cantan!
Ninguna voz es la mía.

6

Desde Sevilla a Sanlúcar,
desde Sanlúcar al mar,
en una barca de plata
con los remos de coral,
donde vayas, marinero,
contigo me has de llevar.

7

El aire por donde pasas,
niña, se incendia,
y a la altura de tus ojos
relampaguea.
    Guárdeme Santa María
de la nube negra,
de la niebla fría;
de la tormenta amorosa
me guarde más todavía.

                                    Segovia, 1925.

CCXI

APUNTE DE SIERRA

Abrió la ventana.
Sonaba el planeta.

En la piedra el agua.
Hasta el río llegan
de la sierra fría
las uñas de piedra.
¡A la luna clara,
canchos de granito
donde bate el agua!
¡A la luna clara,
Guadarrama pule
las uñas de piedra!
Por aquí fue España,
llamaban Castilla
a unas tierras altas...

CCXII

NOCHES DE CASTILLA

¡Luna llena, luna llena,
tan oronda,
tan redonda,
en esta noche serena!
Alegre luna de marzo
tras el azul de la sierra,
tú eres un panal de luz
que labran blancas abejas.
Sobre los pinos del monte,
madona, sobre la piedra
del áspero Guadarrama,
miras mi ventana abierta.
Yo te veo, clara luna,
siempre pensativa y buena,
con tus tijeras de plata
cortando el azul en vendas,
o hilando la seda fina
de tus gusanos de seda.
Tú y yo, silenciosamente,
trabajamos, compañera,
en esta noche de marzo,
hilo a hilo, letra a letra
¡con cuánto amor! mientras duerme
el campo de primavera.

CLÁSICOS UNIVERSALES PLANETA

Últimos títulos publicados:

109.   PAPÁ GORIOT, Honoré de Balzac.
Introducción, traducción y notas de Javier Albiñana.

110.   CARTAS MORALES A LUCILIO, Lucio Anneo Séneca.
Introducción de Eduardo Sierra Valentí, catedrático de Instituto. Traducción y notas de Jaime Bofill y Ferro.

111.   LOS MISERABLES, Victor Hugo.
Edición y notas de José Luis Gómez. Introducción de Alain Verjat, catedrático de Filología Francesa de la Universidad de Barcelona. Traducción de Nemesio Fernández Cuesta.

112.   TRABAJOS DE AMOR PERDIDOS. MUCHO RUIDO POR NADA, William Shakespeare.
Introducción de Carlos Pujol, doctor en Filosofía y Letras. Traducción de José María Valverde, catedrático de la Universidad de Barcelona.

113.   POESÍA, Fernando de Herrera.
Edición, introducción y notas de María Teresa Ruestes.

114.   MEMORIAS DE ESPAÑA, Giacomo Casanova.
Introducción, traducción y notas de Ángel Crespo, profesor de la Universidad de Mayagüez (Puerto Rico).

115.   EL DIABLO COJUELO, Luis Vélez de Guevara.
Edición, introducción y notas de Enrique Miralles, profesor de la Universidad de Barcelona.

116.   ANALES, Publio Cornelio Tácito.
Edición, introducción y notas de Pedro J. Quetglas, profesor de la Universidad de Barcelona. Traducción de Carlos Coloma.